PIPI DEBOUT, QUELLE INJUSTICE !

SUZY VERGEZ

PIPI DEBOUT, QUELLE INJUSTICE !

BERNARD GRASSET
PARIS

PROLOGUE

Tous les animaux naissent et demeurent égaux, seulement il y en a qui sont plus égaux que d'autres...

GEORGE ORWELL -
Animal Farm.

B. J. m'appelle sur la ligne intérieure. C'est nouveau cette manie qu'il a de prendre mes conseils à propos de tout et de rien... J'ai eu l'occasion il y a deux ou trois semaines d'écrire à l'un de nos clients une lettre un peu délicate qui a porté des fruits inespérés. B. J. en a eu connaissance. Il m'observe à présent avec un œil intéressé. Il va jusqu'à me consulter à tout bout de champ pour son propre courrier.

— A votre avis, me demande-t-il aujourd'hui, est-ce que je lui mets « Chère Madame », ou « Chère Mademoiselle »?... Une femme qui vieillit et qui n'a jamais été mariée, c'est un peu délicat. Ça doit ressentir ces choses très vivement...

Encore une fois, je constate un peu attristée que notre P.-D.G. craint moins l'inflation, les crises sociales ou l'infarctus que les fautes de savoir-vivre... Il insiste :

— Mettez-vous à sa place, voyons... Comment aimeriez-vous qu'on s'adresse à vous dans ce genre de courrier, si vous n'aviez jamais été mariée...

— Oh, moi, vous savez...

Je fuis un peu. Je ne vais tout de même pas lui parler de toutes ces lettres qui me parviennent « A l'attention de Monsieur S. Vergez, simplement parce que je suis l'un des rares cadres de sexe féminin de son entreprise, et que, chose encore assez impensable, j'officie de mon mieux dans un service hautement technique... Je ne vais pas lui raconter les bulletins scolaires de mes enfants, les traites sur la voiture, les prospectus publicitaires et autres broutilles qui, dans la plupart des cas, m'attribuent le bénéfice d'un phallus.

— Alors insiste-t-il... Madame, ou Mademoiselle?

— Vous savez B. J., je crois que la grande Sonia s'en moque du fond du cœur.

— Vous croyez, vraiment? Je ne voudrais pas commettre un impair, ça pourrait nous nuire et nous créer des difficultés ultérieurement.

En fait, il ne croit pas un instant qu'elle s'en moque, la grande Sonia! Moi, cette femme-là, je l'admire, je l'envie. C'est une sorte d'Elvire Popesco des affaires, une grande Slave délirante, roulant les « r » plus qu'il n'est permis... Elle sait se battre, négocier, se débattre, gagner, et, le moment venu, célébrer... Elle porte une cinquantaine éclatante et je doute, bien que l'état civil nous y engage, que quiconque puisse raisonnablement l'appeler « Mademoiselle ». Il y a belle lurette que cette appellation doit, en ce qui la concerne, être périmée. « Obsolète » comme on dirait chez nous. Du moins, je le lui souhaite.

— Alors, que mettriez-vous à ma place?

Je crois avoir une inspiration :

— Pourquoi pas « Chère amie »?

— Oh, surtout pas! Je ne voudrais pas qu'elle se méprenne...

Obsédé qu'il est, notre B. J. Il a six enfants et soixante et quelques années. Il écrit « Cher ami » à la plupart de ses amis de sexe mâle, ainsi qu'à la plupart des gens avec lesquels il est en relations pour une raison ou pour une autre. S'il ne peut pas, en son âme et conscience, écrire « Cher ami », ou Cher Bill, Joe, Armand, Alexandre ou Étienne, c'est que la lettre doit être faite par un de ses collaborateurs. Lui ne fait que le « contact haut-niveau », comme disent les petites annonces...

La grande Sonia, c'est le super-niveau. A ménager, à dorloter, à traiter d'égal à égal. Ce qui le gêne c'est que pour bien faire, le chroniqueur devrait écrire « d'égal à égale », ou mieux, pour s'en tenir aux traditions dans lesquelles il a été élevé « d'égale à égal ». Ça le perturbe, notre B. J., ces subtilités inattendues...

J'essaye de le rassurer.

— Il y a peu de chances pour qu'elle se méprenne, dis-je... Maintenant, si vous aviez écrit : « Très chère amie... »

— Non, vraiment, je crois que « Chère amie » ne convient pas du tout... Il me semble que « Mademoiselle » peut avoir quelque chose d'offensant pour une personne de son âge... D'un autre côté, certaines de ces célibataires endurcies ont horreur d'être appelées « Madame »... Le genre M.L.F., vous voyez ce que je veux dire...

— Le genre M.L.F.?

— Oui. Enfin vous me comprenez... Comment ressentiriez-vous les choses à sa place?

— Je ne sais pas trop...

Il m'agace à présent. J'ai ce rapport d'installation à finir de traduire et qu'il va me réclamer d'ici un quart d'heure, tout étonné si je ne l'ai pas fini. Je n'ai pas de temps à perdre en absurdes cas de conscience...

— Mais tout de même, si ce courrier vous était adressé...

— Monsieur le Président, dis-je pompeusement en une seule haleine, pour ne rien vous cacher, j'ai personnellement profondément horreur de me définir par rapport à l'intervention officielle d'un homme dans ma vie...

— Vous avez quoi?

— J'ai profondément horreur... Je lui répète toute ma phrase. Silence. L'oreille collée à l'écouteur du téléphone, j'entends quasiment les rouages de son cerveau qui sont prêts à gripper tant il fait d'effort pour comprendre. Ça y est, il a compris.

— Oh, je vois, encore une de vos boutades, annonce-t-il dans un rire qu'il veut léger...

Boutade! Boutade *my ass* comme on dit en bon anglais. Chaque fois que je lui assène une vérité première, il préfère en rire et mettre ça sur ce qu'il appelle mon sens de l'humour... Ça me met en colère. Maintenant, il est trop tard, je suis lancée :

— J'ai horreur qu'on m'appelle madame autant que j'avais horreur d'être appelée mademoiselle. Nous autres femmes nous ne pouvons nous identifier que par notre prénom. Pendant vingt ans nous portons le nom de notre père et ensuite celui de nos maris. Dans tous les cas, étrangement, nous ne portons jamais vraiment le nom de nos mères ni celui de nos enfants. Nos fils s'éloignent, nos filles se marient, nous divorçons, nous nous remarions, nos mères divorcent, se remarient... Non, croyez-moi, changer d'identité parce qu'on change de partenaire, c'est un sacré traumatisme... Appelez-la « Chère Sonia »...

— « Chère Sonia »?... Vous n'y pensez pas!

J'en ai assez dit pour aujourd'hui. Les échelons ont été trop durs à gravir. Je ne vais pas risquer bêtement de perturber ma prochaine promotion pour agiter au nom de la grande Sonia, qui n'en a guère besoin, l'étendard de la révolte féminine... Je fais marche arrière lâchement.

— Excusez-moi, je vais un peu loin... Je pense que « Chère Madame »...

— Je crois que vous avez raison, je vous remercie.

Ai-je vraiment raison? Je me le demande. Ce matin, samedi, j'écoutais Europe 1 en faisant un brin de ménage. C'était Gault, ou c'était Millau, ou les deux à la fois peut-être... J'avais l'oreille distraite et les ronrons bien-pensants et prévisibles des chantres de la nouvelle cuisine anesthésiaient un peu l'horreur qui me saisit toujours au moment de mettre de l'ordre, d'enlever la poussière ou de balader l'aspirateur.

Il s'agissait d'animer l'émission en demandant l'opinion des auditeurs par téléphone. B. J. aurait aimé... Par deux fois, Gault eut affaire à des femmes :

— Bonjour madame, dit-il à la première...

— Mademoiselle, rectifia-t-elle un peu sèchement, la voix grave de maturité... Et quatorze secondes plus tard, à une voix jeune et enjouée :

— Bonjour mademoiselle...

— Madame...

— Excusez-moi, bonjour madame...

J'ai probablement tort et B. J. a raison. Elles y tiennent à leur titre qui indique clairement « avec homme », ou « sans homme ». Elles sont, faute de mieux, fières dans l'un et l'autre cas de leur condition, qu'elles l'aient choisie ou qu'elles se contentent de la supporter.

Je ne prêterais qu'une attention distraite à ces choses qui sont, somme toute, habituelles, si Marguerite, la vieille et chère amie de ma grand-mère n'était pas morte ces jours-ci.

Marguerite était longtemps restée célibataire, s'occupant d'enfants dans les familles aisées. Après trente ans, compte tenu de son âge et de ses origines, elle avait fait ce que l'on appelait alors « un bon mariage ». Elle avait eu trois filles. Je la voyais de temps en temps, au cours de mes vacances, toujours avec plaisir. Tout le monde l'appelait « Marguerite » avec une grande affection, car elle avait une personnalité ouverte, généreuse et authentique.

En recevant un faire-part « design », bordé de gris ce qui est plus « in » que le noir, je n'ai pas un instant pensé à Marguerite. Moins encore en lisant les phrases conventionnelles et décourageantes :

Nous avons le regret de vous annoncer le décès de
Madame Veuve Gaston Bournet
morte au domicile de ses enfants en sa 91e année.

On avait négligé « née Marguerite Amaré » ce qui m'aurait probablement éclairée. Ses gendres attentionnés n'avaient cependant pas oublié l'énumération complaisante de leurs propres mérites. Patronymes, titres, fonctions, décorations, tout y était... à quoi on avait ajouté trois fois « et Madame » à propos des épouses, filles de Marguerite, qui depuis quarante ans vivaient discrètement dans leur ombre.

J'ai cherché un instant qui pouvaient bien être ces gens :

Me Untel, membre du Barreau, croix de guerre et Madame.

Dr Tel-Autre, membre de l'Ordre, professeur de Machinologie à l'école de Médecine Évolutionniste de Verneuil-en-Halatte, Mérite Agricole, et Madame.

M. Tel-Autre-Encore, Directeur Général de la Société Ceci-Cela, Ancien élève de Polytechnique et Madame.

Ces trois dames anonymes ne me disaient vraiment rien. Leurs époux chamarrés non plus. Seul, le cachet de la poste m'a mise sur la voie...

J'ai soudain revu Marguerite, l'âme de sa maison et même de son quartier. Marguerite qui nous beurrait de fabuleuses tartines, nous chantait des comptines inconnues, nous donnait sans en avoir l'air des conseils pleins de bon sens ou des bourrades bien méritées. J'ai revu Marguerite, déjà veuve à ma naissance, prenant ses responsabilités, travaillant dur pour survivre, seule, efficace, parfois râleuse ou maniaque, mais le plus souvent gaie en profondeur, aimante.

Je me prends à espérer que ce Gaston dont elle fut seize ans l'épouse ait laissé à Marguerite d'impérissables souvenirs. Car comment justifier autrement l'oubli délibéré des soixante-quinze autres années de sa vie, pendant lesquelles elle a vécu seule, tranquille, sereine, sans histoires et probablement sans homme? Seize ans de vie conjugale permettent donc d'enterrer une femme comme si elle n'avait existé que par feu son mari?

Naturellement, le plus souvent les faire-part portent le nom de jeune fille de ces dames, ne serait-ce que pour faire plaisir à cette branche un peu humiliée de la famille, et parce que les pompes funèbres connaissent leur métier. Il ne s'agit que d'un malencontreux cas particulier. Mais il m'a révoltée d'autant que mon entourage a persisté à trouver mon écœurement tout à fait excessif.

— Ce n'est qu'un oubli, ont-ils dit en chœur...

Ce n'est qu'un oubli, mais c'est un oubli symptomatique.

***

Quelque temps avant sa mort, Hemingway accorda une interview à un journaliste américain.

— Pourquoi, demanda le journaliste, vous êtes-vous finalement laissé pousser la barbe?

— Parce que, répondit Hemingway, c'est la seule chose que je sache faire vraiment mieux que ma femme...

Même si nous n'aimons pas à l'admettre, certaines d'entre nous ont pourtant dans ce domaine raisonnablement réservé des résultats assez surprenants... Quitte à réjouir tous les freudiens à l'affût, il me faut aujourd'hui avouer que, sans avoir jamais eu envie de voir pousser ma barbe, j'ai souvent regretté de ne pas pouvoir faire pipi debout. Mon frère, dans les hivers pyrénéens, faisait des concours dans la neige. Ses camarades et lui écrivaient d'une trace tremblée, fumante et jaune, leur nom dans les squares enneigés. Il s'appelle Lucien et n'arrivait que rarement au bout. Seul Marc parvenait à ses fins et gagnait toujours les tournois. Jean-Baptiste, honnêtement, n'avait aucune chance. Moi, je suivais. J'étais censée les surveiller au long des jeudis d'enfance. J'étais la grande sœur, raisonnable et sérieuse. J'avais depuis longtemps compris que Dieu avait eu recours pour me mettre au point, à la technologie douce chère aux hippies. Je pissais en cataracte, selon une technique primitive qui empêchait à jamais toute expression esthétique un peu raffinée.

Il est toujours difficile de découvrir, puis d'admettre, que l'on appartient à un sous-groupe, à une minorité. Mon tout premier choc, je l'ai ressenti lorsque j'avais cinq ans. J'accompagnais alors toujours ma grand-mère à la messe. L'église Saint-Vincent, de Bagnères-de-Bigorre, avec sa façade carrée, son porche bien creux, sa tour solitaire placée en angle, ses ors discrets, ses confessionnaux travaillés, ses rangées de chaises et ses quelques prie-Dieu réservés, semblait parfois se prendre pour Strasbourg ou pour Beauvais. A Bagnères, nous avions un suisse plus chamarré qu'il n'était nécessaire. Mais, pour le service de Dieu, autant que pour le service des hommes, en Bigorre on ne lésine pas.

Le suisse me fascinait. Non seulement les plumes légères de son bicorne frissonnaient au moindre souffle d'air, comme les flammes des cierges alentour, mais les pans libres de sa redingote bleue gauloise épousaient ses moindres mouvements. Le suisse se déplaçait à travers l'église avec une grande dignité. Jamais il n'abusait des effets que son fabuleux costume aurait pu lui permettre. Jamais, non plus, il n'aurait toléré que le moindre poil échappât à l'irréprochable alignement de sa barbe ni que ses chaussettes dépassant de la culotte garance, ou ses gants blancs fussent autrement qu'immaculés au moment des services divins. Ce suisse était le Maître des Cérémonies par excellence. C'est lui que je regardais officier.

Ma grand-mère n'aurait pas compris une ferveur aussi mal placée. Elle l'aurait mise sur le compte d'une passion amoureuse précoce et inquiétante. Je devais confusément le deviner car, pendant très longtemps, je ne dis rien. J'allais à la messe avec plaisir, ma grand-mère disant partout combien j'y étais exceptionnellement sage et recueillie, étant donné la longueur du service.

Bien sûr, je regardais aussi le prêtre aux ornements rutilants, les enfants de chœur en robe rouge et surplis de dentelle blanche qui balançaient leurs encensoirs avec l'énergie d'apôtres remontant le cours de quelque Amazone, bien décidés à réussir... Ils n'étaient pas mal non plus ceux-là, avec leurs atours colorés. Les prêtres m'impressionnaient assez, lorsqu'ils prenaient la parole en chaire, avec cette éloquence toute particulière, très Théâtre-Français... Mais mon idole, c'était le suisse. Il portait une hallebarde munie de longs glands d'or un peu ternis. Chacun des pas qu'il faisait s'accompagnait d'un coup discret de ce martial instrument, en trois temps. Un peu comme le rythme adopté par ceux qui marchent aidés d'une canne. Et, puis, de temps à autre, il se figeait en un endroit précis de l'église, toujours le même, se mettait au garde-à-vous et, soudain, sans prévenir, assenait sur le sol un coup de hallebarde sonore qui n'en finissait plus de résonner sous les vieilles voûtes... Cette initiative déclenchait toutes sortes de phénomènes. Les fidèles se levaient ou, s'ils étaient debout, s'asseyaient. Le prêtre lui, se retournait, s'agenouillait ou bénissait la foule. Les enfants de chœur dans une chorégraphie mystérieuse apportaient des burettes, soulevaient d'énormes livres ou préparaient les plateaux pour la communion... Tout un rituel obscur et fascinant dont le sens m'échappait.

Pour moi, il n'y avait aucun doute. Le coup de hallebarde du suisse avait une étrange fonction. Jamais personne ne résistait à ces fermes sollicitations. Tout le monde, apparemment, connaissait son rôle. Mais celui qui menait la danse, sans erreur possible, c'était notre suisse.

Un jour tout de même, comme j'aimais beaucoup ma grand-mère, je décidai de lui confier mon secret :

— Bonne-Maman, annonçai-je un dimanche matin en sortant de la messe, quand je serai grande, je veux être suisse...

Bon. Ma grand-mère fut prise sur-le-champ d'un irrésistible fou rire dont je ne compris pas la raison. Je la laissai rire, un peu vexée, et décidai de ne plus rien lui confier de mes projets, du moins pour l'instant. Je continuai pourtant à songer à l'avenir. Si, pour une raison ou pour une autre, je ne pouvais pas être suisse, je serais donc curé, ou à défaut enfant de chœur. J'aimais le costume, le prestige, l'autorité, bref le théâtre.

Je n'étais pas assez jeune pour ne pas avoir remarqué l'insistance de ma grand-mère à m'emmener à la messe. Mon père, qui se voulait libre penseur, s'en montrait contrarié. Il me vint donc à l'esprit qu'elle trouvait motif à rire de ce différend. Ne voulant pas l'aggraver je recensai donc, aux alentours, d'autres futurs enviables pour donner corps à mes rêves.

Il y avait à Bagnères un autre métier qui me paraissait digne de lui consacrer toute une vie. C'était celui de crieur public. Notre crieur public s'appelait Camille. Il parcourait la ville avec deux somptueux accessoires : une bicyclette et un gigantesque tambour. Nous autres, enfants, faisions cercle autour de lui dès qu'il appuyait sa précieuse monture contre un mur. Nous le regardions retirer lentement de leur étui de cuir les baguettes qui, tout à l'heure, alerteraient les populations pour les informer des diverses mesures prises par la municipalité ou des manifestations culturelles ou sportives organisées par les multiples associations de notre bonne ville.

Camille nous faisait délicieusement peur. Nous

savions qu'il était sévère, mais juste, et qu'il n'admettait pas le moindre bavardage pendant ses annonces. Il nous foudroyait du regard, saluait les quelques adultes qui s'étaient joints à notre groupe. Après avoir très militairement levé ses mains et ses baguettes jusqu'au niveau de ses yeux il attendait, dans cette position inconfortable, que nous fassions silence. Cela n'en finissait jamais... Il y avait toujours de nouveaux arrivants, qui disaient discrètement bonjour à la ronde... Camille ne bronchait pas, rigide, mais quelque chose dans son œil nous signalait pourtant qu'il était grand temps de nous taire, de ne plus bouger nos pieds, de nous figer respectueusement, définitivement.

Le silence, alors, devenait total, profond, expectatif, religieux. La salve éclatait soudain comme un orgasme, toujours plus grondante, plus épanouie, amplifiée comme si elle nous était renvoyée en écho par les Pyrénées avoisinantes.

Les plus âgés d'entre nous le suivaient d'un carrefour à l'autre, lui servant d'escorte, de cour permanente, irritante et flatteuse à la fois. Nous courions derrière sa bicyclette. Parfois, par tendresse pour nous, ou par souci de ne pas perdre son public en route, il ne remontait pas sur son engin et parcourait à pied, en le poussant, la plus grande partie de son itinéraire. D'un quartier à l'autre, les enfants changeaient. Nous avions tous notre territoire dont il ne fallait pas dépasser les frontières. Camille pour nous, c'était Hans, le joueur de flûte de Grimm. Nous l'aurions suivi à l'autre bout du département...

— Avis municipal, annonçait-il de sa voix profonde et rocailleuse, dès la fin du dernier roulement.

Tout en parlant, il rangeait ses précieuses baguettes. Nous écoutions ce prêche civil avec d'autant plus de respect que nous n'y comprenions rien. Autour des années 36 les avis municipaux étaient fréquents et compliqués, comme l'était la vie des réfugiés de toutes origines qui nous arrivaient de la toute proche guerre d'Espagne. Mais moins nous comprenions, plus nous admirions comme c'est partout l'usage... Parfois quelque insolent se permettait un rire, une remarque en aparté ou poussait un cri sauvage pour faire réagir Camille... Contre cela aussi il était prémuni. Il stoppait net son discours. Avec un mépris superbe dans la voix, il s'exclamait sardoniquement toujours dans les mêmes termes à l'usage d'une audience qui n'attendait que ça : « La bête a jeté son cri! »

Cela seul suffisait à laver l'offense. Puis, tranquillement, comme s'il ne s'était rien passé, Camille reprenait son texte à l'endroit exact où il l'avait abandonné, ce qui n'en facilitait pas toujours la compréhension.

Pour moi, la question ne se posait même plus : si je ne pouvais pas être suisse, je deviendrais crieur public. Ainsi, vers l'âge de cinq ans, en avais-je décidé.

Mise au courant, ma grand-mère, la chère femme, fut illico secouée d'un nouveau fou rire. Je la regardais sans comprendre. Ma mère, une femme sérieuse, consciente de ses devoirs, me donna quelques explications :

— Ma pauvre petite, dit-elle gentiment, cherchant à me ménager... Évidemment, je voudrais bien que tu puisses être suisse, ou même crieur public. Malheureusement, c'est impossible.

— Mais pourquoi?

— Ce sont des métiers d'homme...

— Des quoi?

— Des métiers faits par des hommes. Aucune femme n'est suisse ou crieur public...

— Mais j'ai bien regardé comment ils font... Ce n'est pas compliqué, je pourrai le faire quand je serai grande... Ou alors, je serai curé.

— Curé, s'esclaffa ma grand-mère... Cette petite n'hésite devant rien. On aura tout vu! Tu ne peux pas être curé non plus. Il n'y a que les hommes qui sont curés. Les femmes sont religieuses, comme sœur Marie.

Sœur Marie, je n'y avais pas pensé. Ce n'était pas mal. La cornette, à l'époque, était encore bien imposante. Mais, du fond de mes souvenirs, je ne parvenais pas à voir sœur Marie ailleurs que dans un coin retiré de l'église, où elle semblait d'ailleurs ne tenir aucun rôle particulier. Je préférais, dans ce cas, remplacer Mlle Fourcade qui tenait glorieusement l'harmonium. J'avais besoin de responsabilités, de prestige...

Au nom de Mlle Fourcade, la famille ne manifesta pas un enthousiasme délirant. Mais personne n'était vraiment contre... Sœur Marie réunissait moins de partisans encore.

— Tu ne pourras pas te marier, disait Bonne-Maman...

— Et Mlle Fourcade, elle est mariée?

— Non, mais elle aurait pu, si elle avait voulu...

Mon père riait. Il n'imaginait pas que Mlle Fourcade eût jamais pu recevoir une demande en mariage, l'eût-elle souhaité. Bonne-Maman expliquait que les religieuses, tout comme les prêtres, ne se marient pas. Il en fallait davantage pour m'impressionner : je ne voyais pas l'utilité du mariage.

— Je ne me marierai pas, dis-je.

— Mais alors, tu n'auras jamais d'enfants...

Jamais d'enfants? Ce devait être vrai. Ni sœur Marie, ni Mlle Fourcade, ni notre curé n'avaient de rejetons. Seul, Camille, le crieur public...

Il semble que la question m'ait longtemps

préoccupée. Ma mère était raisonnablement silencieuse mais ne permettait pas que l'on me mente, ni que l'on me donne des informations incomplètes ou tendancieuses. Elle régla l'affaire en me prenant à part un jour pour m'expliquer qu'en tant que femme, certaines choses m'étaient totalement, et définitivement, interdites. Les métiers sur lesquels j'avais jeté mon dévolu étaient entre autres, exclus. Elle me parla d'autres vocations : institutrice, infirmière, demoiselle des postes, secrétaire... Rien de tout cela ne me tentait vraiment. A la rigueur j'aurais bien été gendarme ou chef de gare. Je devinais que ces emplois-là aussi m'étaient interdits.

Je fus bien obligée, sinon de comprendre, du moins d'admettre que le sort m'avait fait naître au sein d'un groupe social particulier, dont les mœurs semblaient régies par une série de forces extérieures, de conventions, de formules, qu'il allait falloir apprendre à reconnaître, à appliquer, à supporter, à contourner si nécessaire. Je notai le fait sans toutefois en saisir toutes les implications. Simplement je ne fis plus aucun projet. S'il m'arrivait de souhaiter entreprendre quelque chose d'inhabituel, je demandais toujours :

— Puis-je sortir? Puis-je escalader le mur? Puis-je apprendre à monter à bicyclette? C'était moins une permission que je sollicitais qu'une confirmation. Je voulais m'assurer qu'une fille était bien autorisée à grimper sur un mur ou à se déplacer à vélo. Si j'avais été un garçon, j'aurais probablement annoncé : « Maman, je sors... » et personne n'y aurait trouvé à redire.

***

De mon enfance, en temps de guerre, au creux préservé de la Bigorre, je garde le souvenir d'un monde de femmes. Ce qui ne signifie pas un univers de dentelles, de parfums et de futilités. Ma grand-mère était veuve, et assurait notre existence matérielle en travaillant comme cuisinière chez des particuliers. Mes parents avaient regagné Paris après l'exode et nous avaient laissés, mon frère et moi, chez elle.

L'argent n'arrivait qu'irrégulièrement. En fin de mois le ravitaillement était difficile. Notre cousine Marie, mère d'un fils et d'un bataillon de filles nous aidait de son mieux. Elle nous apportait parfois du lait ou du fromage, quelque charcuterie ou quelque volaille que sa générosité naturelle et sa superbe organisation lui permettaient de prélever pour nous sur l'intendance impressionnante de sa maison. Les mauvaises langues disaient qu'elle était « le seul homme de sa famille ». Dans leurs bouches c'était une critique, qui ne manquait pas d'une certaine ambiguïté, si l'on songe à ce « qu'être un homme » signifie dans l'esprit de la plupart des gens.

Marie vivait à trois kilomètres de chez nous. Je ne l'avais jamais vue qu'enceinte. A tel point que lorsqu'elle cessa de procréer, après son huitième enfant, je crus qu'elle était tombée malade. Elle descendait le lait en ville. Son ânesse, harnachée à la mode bigourdane, portait une sorte de besace de coton blanc, ourlée de rouge, dans laquelle étaient aménagées des niches où l'on glissait les bouteilles et qui pendait sur les flancs de la bête. Par la suite, la guerre s'éternisant, le lait devint rare et l'ânesse mourut. On vit désormais Marie, le ventre rebondi, parcourir à bicyclette des itinéraires qui terroriseraient nos champions cyclistes et qui enchantent les sportifs motorisés du rallye des Gaves. Chez nous, dans les années 40, les veuves, les belles-mères, les fermières, portaient encore le capulet comme Bernadette Soubirous. La monture la plus populaire restait la mule, sur le point d'être détrônée par la petite reine. Les femmes de ces régions-là, lorsqu'elles n'avaient pas vécu « 14 » et l'Arsenal de Tarbes, restaient, tout en se défendant de faire de la politique, imprégnées des événements de 36, des premières conquêtes sociales, du Front populaire.

Ma grand-mère, ma tante, toutes mes parentes

étaient de la race de ces montagnardes solides et courageuses. Elles ne craignaient pas les responsabilités et cultivaient le goût du travail bien fait. Leurs hommes avaient déjà des problèmes, bien qu'ils n'aient jamais entendu, venant de leurs épouses, la moindre revendication, individuelle ou collective. Sentant, peut-être, combien la force tranquille de leurs femmes affadissait leur personnalité, ils rivalisaient d'incartades ou de sautes d'humeur pour qu'on sache bien qui était le chef. Ils étaient braves mais forts en gueule et parfois superbement délirants. Elles acceptaient tout au nom de l'ordre universel et témoignaient aux héros insupportables une indulgente et affectueuse sollicitude. Elles ne prenaient vraiment au sérieux rien de ce qu'ils faisaient. « De grands enfants... » Il y avait du mépris à fleur de peau dans leur comportement. Les hommes ne semblaient pas en tenir compte.

La tradition aidant, on écoutait la parole du père, du frère, du mari, avec respect, à condition que le discours soit respectable. Jamais a priori. Dans le cas contraire, aucune de ces femmes admirables ne se croyait obligée de dissimuler sa pensée. On mettait les enfants au monde, sans histoires, on gérait le budget, on entretenait la maison, on faisait la soupe, pourquoi n'aurait-on pas eu voix au chapitre?

Aucune des femmes simples de mon enfance

n'a jamais renoncé à exposer son point de vue, à lutter pour ce qu'elle estimait juste, parfois avec une véhémente énergie. Jamais, à ma connaissance, aucune ne s'est abaissée à obtenir gain de cause par des manœuvres de coquetterie. Aucune, je le crois, ne s'est vraiment sentie victime d'un système, aucune ne s'est estimée brimée par les tyrans locaux. Inférieure moins encore... Les rôles sociaux étaient partout bien définis. Il ne se posait aucun problème d'identité. Il était aussi glorieux d'être forgeron que de passer sa vie à mettre au monde, à nourrir et à éduquer les générations suivantes. L'envie du pénis, si chère à Freud, les aurait fait mourir de rire, les chères femmes...

Il y a plus de quarante ans que j'appartiens quant à moi à ce qu'Hervé Bazin appelle aimablement « la race creuse »... Depuis je vais de surprise en surprise, d'irritations en irritations, de colères homériques en énormes éclats de rire. Je ne m'habitue pas. Il y a plus de quarante ans que je « les » observe, que je « les » approche, que je « les » aide, que je travaille avec eux, pour eux, ou tout simplement que je fais tout le travail à leur place... Il y a presque aussi longtemps que je leur mitonne des pot-au-feu, que je blanchis leur lessive, que je les dorlote, que je fais leurs enfants et, d'une manière générale, que je les aime. Il y a tout autant de temps que j'observe aussi les femmes, et que je m'étonne sans fin de leurs attitudes, de leurs résignations et de leurs choix. Je crois que ce n'est pas dans la recherche de l'égalité que nous trouverons des solutions acceptables, mais dans le respect profond des personnalités et des différences.

***

CHAPITRE 1

A l'ombre des Bouddhas

A.N.T. traverse le bureau. Il a l'œil vague et l'air affairé. Il pense que ça fait dynamique.

— Il n'y a personne, demande-t-il?

Nous nous regardons. Nous sommes trois. Trois femmes. A.N.T. veut sans doute dire : « Mes collègues, les hommes, ne sont pas là? »... A.N.T. est snob, un peu mondain, un peu insupportable. Il fait du ski l'hiver, de la voile l'été, du cheval toute l'année. Le cadre arrivé dans toute sa splendeur. Il est toujours le premier à posséder le petit gadget à la mode pour homme à la page. Cette année, la petite machine à calculer électronique de poche. A tel point que lorsque j'ai fait mon rapport annuel d'activité, je me suis bien gardée d'ajouter les pourcentages pour aboutir à 100. Je lui ai perfidement laissé la joie de regarder sur sa petite machine si je ne m'étais pas trompée et si, par hasard, on n'aboutirait pas à 99,8 ou à 100,03.

Naturellement, j'avais vérifié avant de distribuer le rapport.

Nous « roulons » dans la rotative. L'entreprise, où lui, moi et quelque cinq cents autres personnes travaillons ensemble, fabrique, installe et entretient ces fabuleux outils grâce auxquels l'information circule. Pas question qu'un journal ne tombe pas à l'heure prévue. C'est pour éviter ce genre de catastrophe économique et morale que je suis chargée d'expédier aux quatre coins du monde quarante gaillards de mes amis. Au cours d'opérations de commando, ils rendent leur tonus à ceux de nos engins qui sont en difficulté.

Dans le monde assez clos du service Après Vente je gère les besoins des hommes, je statistise les caprices des machines, je taylorise les heures de travail, je contrôle les frais et les rentrées. Lorsqu'il me reste un peu de temps, je harcèle les fournisseurs et je pacifie les clients, tout en veillant au moral des troupes. Toute l'année, je suis l'affreux Jojo qui scrute les Opérations Diverses, traque les dépenses superflues et s'efforce de réduire les coûts sans nuire à la qualité. En échange, pour chaque quadrichromie réussie, à 54 000 exemplaires/heure, j'éprouve un instant d'authentique émotion et je rends grâces à Gutenberg et à ses disciples inspirés, mes collègues...

Mais pour A.N.T., les femmes n'existent pas. On ne les rencontre qu'à la cuisine ou au lit. Partout ailleurs il ne les voit pas. Il ne parle à sa secrétaire que lorsqu'il y est contraint. Il m'adresse parfois la parole parce que le travail l'exige, et qu'au fond de lui-même je crois qu'il ne me considère pas vraiment comme une femme. Ni Juif ni Grec, ni chair ni poisson. Je n'ai pas d'amant déclaré, pas d'enfant visible, je ne suis pas une femme dans le sens qu'il donne à ce terme. Le jugement que je lui prête ne m'offense d'ailleurs pas. Je me fiche absolument de ce que pense A.N.T.

Ce n'est pas le cas d'Élisabeth. Il l'agace. Elle est encore jeune, elle supporte mal qu'on l'ignore ainsi :

— Comment ça « Il n'y a personne? » et nous alors? lance-t-elle.

N'eût été le ton, ça aurait pu être un commentaire typiquement féminin. Mais cette fois, c'est dit avec agressivité sans la moindre coquetterie.

— Oui, bien sûr. Je voulais dire « Il n'y a pas de... »

Il allait dire « Il n'y a pas de cadres » et puis il se souvient : Élisabeth, excellente secrétaire trilingue depuis dix ans est cadre, elle aussi. Pas depuis longtemps il est vrai.

A.N.T. bafouille, Élisabeth le coupe.

— Non, il n'y a pas d'hommes. Si c'est ce que

vous voulez dire. Rien que trois femmes, compétentes, dévouées, sous-payées, qui comme d'habitude veillent au grain et expédient les affaires courantes pendant que ces messieurs sont en voyage aux quatre coins du monde aux frais de la princesse...

A.N.T. est mal à l'aise. Il ne prévoyait pas un tel éclat.

— Vous savez, dit-il, je ne suis pas le seul responsable des problèmes des femmes...

— Je le sais bien, mais vous êtes l'un de ceux qui disent le plus souvent « Il n'y a personne » alors que vous avez trois femmes sous les yeux. C'est agaçant à la fin de se sentir transparente...

Un temps... Elle jette perfidement son trait favori :

— D'ailleurs, plus j'engraisse, moins on me voit!

A.N.T. reste coi, très gêné. Élisabeth et moi avons en commun ce joyeux embonpoint. Selon toutes les règles, nous devrions le prendre au tragique, nous couvrir de cendres, nous vêtir de teintes sombres, nous soumettre à un régime draconien. Brandir gaiement cette singularité c'est faire fi de toutes les normes. A.N.T. n'y comprend rien. Il bat en retraite. Il renonce.

Fabienne, qui jusqu'à présent n'a rien dit se réveille :

— Pourquoi n'en mettriez-vous pas une aussi? me demande-t-elle.

— Une quoi?

— Une initiale.

— Pardon?

— Une initiale au milieu comme A.N.T.

— Et qu'est-ce que j'en ferais?

— Je ne sais pas, ça fait chic : Suzy-X Vergez. On vous appellerait S.X.V.

— On dirait un indicatif de radio amateur.

— Peut-être, mais S.V. tout seul, ça ne fait pas très bien...

— Ça fait un peu nu, c'est vrai. Mais ça me suffit.

Ces trois initiales, on les retrouve dans toutes les entreprises multinationales, parfois même ailleurs. Il suffit que les petits gars aient fait un bref séjour « aux States » comme ils disent, ne serait-ce qu'un petit séminaire, pour qu'ils se sentent tout à coup le besoin de plus d'espace, qu'ils écartent, au nom de l'expansion et du progrès, leur prénom du nom de famille auquel il se trouvait depuis toujours accolé et qu'ils insèrent là, dans ce vide central devenu intolérable une superbe initiale qui proclame à tout venant : « Je suis allé aux États-Unis. » On n'a pas encore trouvé le moyen d'ajouter « pas vous ». C'est fatigant! Aucune femme ne fait ça. Imaginez nos héroïnes nationales saisies de la même manie : Simone A. de Beauvoir, Ménie C. Grégoire, Madame M. E. Soleil, Mireille B. Mathieu, Claire N. Bretecher, Françoise F. Parturier, Évelyne B. Sullerot, Françoise G. Giroud, Sylvie H. Vartan, Gisèle T. Halimi, Brigitte N. Bardot...

Ce qui m'étonne toujours, c'est le nombre de hochets dont ils ont besoin pour survivre. Cette façon de s'appeler par des initiales, à l'américaine, est théoriquement destinée à donner de l'entreprise une image dynamique et positive. Je veux bien, à la limite, si ce n'est qu'un jeu. J'aime les jeux. Mais tout de même, lorsque quelqu'un dit « Il faut avertir J. P. »... il faut pouvoir suivre et savoir immédiatement de qui il s'agit. Les « J. P. » dans nos entreprises, on les compte par dizaines. Rien que chez nous il y en a quatre. On ne peut deviner duquel il s'agit qu'en lisant l'énoncé de l'affaire en cours. Par malheur, aucun des nôtres n'est encore allé aux États-Unis, si bien qu'il est difficile de se repérer par la troisième initiale. Le véritable prestige consiste donc désormais à être reconnu du premier coup d'œil sur des initiales aussi anonymes que possible.

Dans les entreprises modernes, on prône aussi l'usage du prénom, toujours à la manière américaine. Tous nos petits Français, bien élevés depuis l'enfance, font de louables efforts pour se libérer de siècles d'un formalisme insistant sur les marques extérieures de respect. On trébuche sur le fossé des générations. On a du mal à appeler Paul quelqu'un qui pourrait être votre père et qui, de surcroît, est votre chef de service. Si, en plus, ce quelqu'un s'appelle Paulette, c'est la catastrophe.

*
* *

Dix heures précises. Réunion de direction. J'y assiste avec Élisabeth et Hélène les deux autres femmes cadres de la maison. B. J. trône, rondouillet, gai, bien rasé, embaumant Fleur Virile.

La salle de réunion est vaste, bien éclairée, meubles de teck et aluminium traité, plantes vertes, cendriers, buvards, blocs, bics, et boissons fraîches non alcoolisées. Vingt-cinq personnes seulement peuvent trouver place autour de la grande table ovale. Nous devons être quarante-trois.

— Les femmes, assises! claironne B. J.

Allons, ça commence bien. Élisabeth me regarde. On se comprend.

— Qu'y a-t-il? demande B. J. voyant notre hésitation.

— Nous ne sommes pas fatiguées, répond Élisabeth.

— Il n'y a pas assez de place pour tout le monde, alors asseyez-vous...

— Mais pourquoi nous ? Elle pense, je le sais, à P. G. C. qui fait deux ou trois heures de travail supplémentaires chaque soir pour nourrir sa trop nombreuse et tardive famille...

— Je ne suis ni enceinte, ni ménopausée, insiste Élisabeth. Suzy non plus à ma connaissance. Je ne vois pas pourquoi nous aurions droit à un traitement de faveur.

— Mais enfin, insiste B. J. perplexe, c'est l'habitude. Quand il y a des femmes, on les fait asseoir.

— Justement ! Tant qu'on nous fera asseoir les premières on ne nous prendra pas vraiment au sérieux et on nous refusera des salaires décents. Je vous en prie, que les sièges soient pris au hasard...

Excédé il fait un geste invitant son personnel à prendre place. De l'autre côté de la table, c'est une ruée discrète vers les chaises. De notre côté s'installe une certaine gêne. Hélène nous regarde, surprise. Elle ne comprend pas notre attitude. Elle est entrée dans la maison vers l'âge de seize ans comme sténo-dactylo. Elle a gravi lentement les échelons et maintenant, elle assume seule, avec une grande compétence, un poste important au service du personnel. Elle a fait une carrière normale, telle qu'un homme aurait pu la faire. Elle ne parvient pas à comprendre ce qu'a d'exceptionnel le fait que ce soit elle, une femme, qui ait bénéficié de cette promotion. Elle a oublié que pour une comme elle, qui réussit, des milliers se morfondent à des postes obscurs, en dépit de leurs compétences. Elle est encore ravie de s'asseoir la première, et de passer les petits fours dans les grandes circonstances. A l'occasion elle fait la vaisselle après les réceptions. Heureuse et fière du poste qu'on a bien voulu lui confier, elle ne songe pas à s'indigner de toucher un salaire inférieur de 30 % à celui de l'homme qui l'a précédée et qui avait, d'ailleurs, sept ans de moins qu'elle.

Le regard d'Hélène, aujourd'hui, est lourd de reproches. « Pas d'histoires, c'est une réunion de Direction, implore-t-elle! »

« Pas d'histoires, nous télécommuniquent nos petits camarades à l'entour, asseyez-vous les filles, sinon pour quels mufles passerions-nous aux yeux de B. J.? »

C'est vrai, tiens! Il faut bien leur donner l'occasion de se montrer galants. C'est assommant mais ça leur fait tellement plaisir! Ils se sentent forts, protecteurs, que sais-je... Nous cédons, nous prenons une chaise. Je sais, dans l'instant, que nous avons tort car rien ne les empêchera désormais de dire :

« C'était bien la peine de faire tout ce cinéma! »

Car il est évident que, soulagés, c'est à présent ce que tous ces messieurs pensent.

*
* *

A vingt mètres devant moi, dans le long corridor de sortie, Golin avance à petits pas pressés. Il tient dans sa main droite son inévitable chapeau et son attaché-case, ainsi qu'une partie de son pardessus qu'il tente laborieusement d'enfiler. Sa main gauche dans son dos décrit d'intéressants moulinets à la recherche de l'emmanchure récalcitrante. Il arrive à la grande porte vitrée avant d'avoir réussi à loger son bras gauche dans son lourd manteau d'hiver. Je me demande comment « ils » peuvent supporter d'enfiler tous ces vestons, gilets, chemises et pardessus superposés. Des manies d'oignons à peaux épaisses. Quand il sera vêtu, Golin, il sera paré pour le cercle polaire. Vivent nos petits jerseys légers...

Je le suis calmement. J'ai eu tort de mettre mes chaussures neuves. J'ai mal aux pieds depuis ce matin et ça me rend maussade. En outre dans ce bureau, je n'ai pas une minute de répit. Nous travaillons trop, je suis fatiguée et il est déjà six heures vingt. Je me demande pour qui ou pour quoi je fais ainsi des heures supplémentaires... Tout comme ce pauvre Golin d'ailleurs...

Quelque chose bouge à la porte vitrée. Golin, toujours partiellement manchot, pousse le battant et m'aperçoit dans cette manière de rétroviseur. Il stoppe net et attend, la porte ouverte, que je veuille bien passer avant lui, comme on lui a enseigné à le faire. Je l'ai déjà dit, vingt mètres nous séparent et j'ai très mal aux pieds... Que fait-on dans ces cas-là? Je pourrais avancer royalement, comme une princesse, et faire les vingt mètres à mon rythme. Il attendrait, paisible, avec le sentiment aigu de sa galanterie. Je lui refuse cette satisfaction et pour ne pas le faire attendre, je cours en meurtrissant davantage mes ampoules... J'ai tort. Je le comprends en franchissant la porte. Golin n'a toujours pas réussi à enfiler son pardessus. La main gauche coincée à mi-chemin dans la manche correspondante, la main droite encombrée par son chapeau et son attaché-case, comment va-t-il me saluer puisque je choisis de foncer sur lui?

Il a du sang-froid et de l'éducation. Il prend son chapeau entre ses dents, pose à terre son attaché-case et me tend triomphant sa main droite en me souhaitant le bonsoir. Je n'y aurais pas pensé. Pour me faire pardonner, je l'aide à remonter son pardessus mais je ne suis pas sûre que ce soit un geste qu'il apprécie. Il aurait mieux valu que je fasse semblant de n'avoir rien remarqué...

Mais aussi, pourquoi ne puis-je ouvrir mes portes moi-même? Pourquoi faut-il qu'à l'horizon, quelque monsieur bien intentionné m'oblige toujours à presser le pas pour lui permettre de montrer sa courtoisie? Ni enceinte ni ménopausée comme dit Élisabeth... Le prochain qui me suit, c'est moi qui lui tiendrai la porte du plus loin que je l'apercevrai. Il n'y comprendra rien du tout...

Le courrier des entreprises, les rapports, les devis, les contrats, les mille et un documents dactylographiés qui font tourner le monde sont signés d'un nom, le plus souvent masculin, auquel sont accolées d'anonymes initiales, celles de la secrétaire. On peut ainsi savoir, sans équivoque, qui a pris la décision, qui a choisi les mots, rédigé le papier, soigné les arguments. Mais aussi qui est à l'origine d'erreurs d'interprétations dues à l'oubli d'une virgule, qui est responsable de l'irritation du client dont le nom a été mal orthographié, qui a négligé d'ajouter les pièces jointes, qui a oublié le courrier urgent dans le parapheur, qui n'a pas classé les doubles...

La barre oblique qui sépare les modestes initiales du patronyme en pleine ascension, c'est tout un symbole. Elle est à la fois le signe de l'association de deux forces de travail, de la soumission de l'une à l'autre et du partage inégal des responsabilités et du profit. Elle représente rarement la pente qui mène vers la promotion.

Quand on a acquis un peu de métier, de part et d'autre de la barre oblique, on sait — bien que pour respecter les règles du jeu on n'y fasse jamais allusion — qui, en fait, rectifie l'orthographe, qui réconforte la grammaire, qui modifie un mot malencontreux afin de garder à la lettre ce caractère positif qui stimulera le client pour la plus grande gloire du petit chef qui va signer, et de l'entreprise, notre *alma mater* à tous. On sait aussi sans y faire jamais référence que les pièces jointes sont fidèlement expédiées et que le nom du client est bien rarement écorché. Les filles ne peuvent pas s'offrir autant d'erreurs qu'un bureau d'études ou qu'un service d'expéditions. Si Beaumarchais voulait m'y autoriser, je me permettrais l'audacieuse paraphrase qui vient tout naturellement à l'esprit : « Aux qualités que l'on exige d'une secrétaire, je connais peu de cadres qui fussent dignes d'être sténos. »

Pourtant, tout le monde vous le confirmera, les secrétaires ne sont plus ce qu'elles étaient il y a dix ans encore... Elles lisent *l'Express* ou *l'Expansion,* quand ce n'est pas *le Nouvel Observateur*. Elles sont parfois licenciées, presque toujours bachelières. Si elles ne le sont pas, c'est qu'elles ont compris de bonne heure que la vie, la vraie, avait déserté les universités au profit des entreprises. Que la promotion désormais passait par le professionnalisme actif et intelligent plutôt que par l'absorption d'une culture formelle et figée. Et que d'ailleurs, contrairement à l'opinion généralement répandue, la pratique d'une technique ou d'un métier n'exclut pas l'acquisition de ladite culture sous ses formes les plus diverses.

Les filles, derrière leur machine, piaffent. Souvent elles ont fait l'effort de partir seules à l'étranger au pair, pour devenir bilingues. C'était pour elles la seule formation possible. Elles parlent mieux anglais que celui qui leur dicte un sabir prétentieux réchauffé sur les fourneaux de la formation permanente. Faire sauter la foutue barre oblique, c'est leur rêve à toutes... Enjamber ce Rubicon, traverser cette ligne de démarcation qui distingue si nettement les responsables des exécutants, comme les voies ferrées des petites villes américaines séparent les quartiers blancs des ghettos.

Il y a dix ans, les secrétaires devaient être figées, respectueuses, dévouées. Elles pouvaient même être amoureuses. Mais comme les institutrices, les infirmières et les mères, elles n'avaient droit qu'aux vertus conventionnellement attribuées à la femme. En aucun cas elles ne devaient faire preuve d'initiative. Moins encore d'intelligence. Un peu de fatigue visible, un peu d'absentéisme ne nuisaient pas, à condition de ne pas refuser à l'occasion, le coup de collier, les heures supplémentaires, d'ailleurs rarement rémunérées.

L'enseignement qu'on leur dispensait les engageait à faire preuve d'une obéissance aveugle. Professeurs de sténo, ou de dactylo répétaient sans cesse : « N'essayez pas de comprendre ce qui vous est dicté ou ce que vous devez taper. Vous ne pouvez pas comprendre le rapport d'un ingénieur ou d'un directeur financier, votre vitesse s'en ressentirait. »

Je crois hélas que ce discours est encore en vigueur car nous avons récemment engagé deux petites sténos débutantes, éveillées, intelligentes, efficaces, capables, auxquelles on venait de refuser leur C.A.P. parce que la manière dont elles avaient présenté leur travail ne correspondait pas aux normes officielles. Je connais les canons de la dactylographie tels que les définit l'Éducation nationale. Aucune entreprise ne les applique à la lettre. Chacune a, son style, sa façon, sa mise en page, ses manies. Et leurs dirigeants semblent être arrivés à la conclusion (qui pourra surprendre) qu'il vaut mieux, pour l'intéressée, comprendre raisonnablement le texte qu'elle doit taper. C'est peut-être moins rapide, mais c'est plus clair, il y a moins d'erreurs, moins de pages à refaire.

A la suite de cette réflexion collective chaque cadre, chaque ingénieur s'est bien volontiers transformé en Pygmalion. Ne croyez pas que je pavoise. Un Pygmalion n'est pas plus facile à supporter qu'un autre, bien au contraire.

Dès qu'une femme demande une explication à un homme, les relations changent, un malentendu s'installe. L'homme, flatté dans sa vanité, se transforme illico en enseignant de la vieille école. Il « poitrine », comme disait Duhamel. Il invente des schémas, ose des comparaisons hardies, et révèle au compte-gouttes à l'innocente les merveilles de la « commande digitale » ou de la « sortie en accumulation ». Il est ébloui de constater qu'il fonctionne efficacement dans un milieu parfaitement ésotérique, et réservé à quelques initiés. Cette re-découverte l'enchante. Ici lui vient un cas de conscience : doit-il vraiment révéler à une femme, sans aucune formation technique, — ou si peu — les précieux secrets de sa spécialité?

Du coup, il amorce une marche arrière. Il obscurcit la démonstration au niveau du vocabulaire. Lui seul sait, il convient de ne pas l'oublier. Ce n'est qu'à travers lui qu'elle pourra accéder à la connaissance. Voilà la véritable puissance. Le cas échéant il en rajoute un peu... Son discours devient de plus en plus opaque. Il ose des mots recherchés à seule fin qu'elle demande : « Qu'est-ce que c'est, un " cubilot "? Qu'est-ce que ça veut dire " embase "? »

Si elle le demande, il est content. Du haut de son expérience il explique à nouveau et ne peut pas se retenir d'ajouter : « Évidemment, c'est un peu dur, il vous manquera toujours les bases. »

Mais, si elle ne demande rien...

Il y a trois ans qu'elle est dans la maison. Elle a depuis longtemps repéré les termes de fonderie ou d'outillage. Elle ne pose pas de question. Il est inquiet. Il craint déjà pour sa place, pour Dieu sait quoi, son prestige peut-être... En saurait-elle trop? « La masse des hommes refuse viscéralement l'égalité avec la femme[1]. » Il ne s'agit même pas de l'égalité dans les salaires, les promotions ou le statut social mais bien de l'égalité des connaissances et des responsabilités.

La barre oblique n'est pas près de s'abaisser, si nous ne manipulons pas un peu en notre faveur, cet infernal passage à niveau.

— Vous avez l'air d'avoir un sacré rhume, Maurice, remarque aimablement Élisabeth.

1. Françoise Parturier : *Lettre ouverte aux femmes,* Albin Michel, 1974.

— Plutôt, oui, répond Maurice en reniflant, la voix brouillée.

Ses yeux se remplissent de larmes et nous prenons soudain conscience que, si c'est un rhume, il est d'une nature un tantinet psychosomatique. Peut-être aurions-nous dû nous abstenir de tout commentaire.

Voir un homme de trente-sept ans pleurer dans un bureau sérieux, tandis que trois de ses collègues plongent du nez sur leur planche à dessin et qu'un quatrième tient des discours mondains au téléphone, c'est un spectacle inattendu. Rien dans notre culture ne nous prépare à ce choc, il faut tout inventer.

Maurice mesure au moins deux mètres et c'est déjà, en soi, attendrissant. Sa colonne vertébrale dessine un « S », comme celle de l'homme de Néanderthal. Il a le front bas, le sourcil broussailleux, l'air vaguement idiot et c'est l'homme le plus gentil que je connaisse. Les secrétaires l'ont baptisé « Missing Link », à cause de ses initiales M. L., et de son allure générale de pithécanthrope. Missing Link, c'est le « maillon manquant » cher à Darwin et aux évolutionnistes, celui qui relie le singe à l'homme... Tout le monde aime « Missing Link » qui, curieusement, fait des miracles aux Ventes. Aujourd'hui, il n'en fera pas!

Il s'enferme dans le bureau voisin avec le

directeur des Ventes et sanglote ouvertement. La cloison vitrée qui nous sépare du petit bureau trahit M. L., qui d'ailleurs s'en moque. Un silence se fait dans notre pièce. Sans la moindre gêne, nous suivons la conversation.

Il semble qu'étant rentré de voyage plus tôt que prévu M. L. ait trouvé sa femme en compagnie d'un de ses amis. Pauvre Missing Link. Il tient à sa femme. Chaque fois qu'il en avait l'occasion, avant ce regrettable incident, il nous parlait d'elle. Nous l'enviions un peu : un homme qui aime aussi ouvertement sa femme c'est très réconfortant. Il lui rapportait de ses voyages toutes sortes de cadeaux exotiques qui nous remplissaient d'admiration.

Maurice repasse à travers notre bureau. Il sait que nous avons tout entendu. Il écarte les bras en un geste désespéré, s'étrangle en nous disant « Excusez-moi, je ne peux pas me contrôler », et sort en reniflant bruyamment. Dès qu'il est dehors, c'est un déchaînement. Les dessinateurs lâchent leurs tés et leurs crayons. Les filles abandonnent leurs machines. Tout le monde commente l'épisode à sa manière, selon son tempérament.

— Pauvre M. L., dit Fabienne.

— Il voyage trop, dit Élisabeth, sa femme s'ennuie.

— Quand même, venir brailler ici, il n'a

vraiment pas d'amour-propre, dit un dessinateur.

— Oui, tu l'as dit, renchérissent les deux autres, rien dans le ventre...

— J' t'aurais cogné là-dedans, déclare un costaud d'un autre service, qui est, apparemment, déjà au courant.

— Tout de même les femmes, toutes des salopes...

— Oui mais quand même, pleurer comme ça...

— Rien dans le ventre...

— Nous raconter ça...

— Rien dans le pantalon...

— Chialer comme un môme...

— C'est pas un homme...

En substance, c'est ce que tout le monde semble penser. Je veux dire tous les hommes. Prisonniers de conventions désuètes et ridicules, ils le sont au moins autant que nous. Les femmes ne disent plus rien. A la limite, elles se sentent un peu coupables, identifiées qu'elles sont à Mme Link.

Moi? Je suis touchée. Je me revois cinq ans en arrière. Je suis sans doute la seule ici, à avoir une connaissance directe du phénomène. Bien que n'étant pas handicapée par ces trop fragiles testicules, auxquels ces messieurs se réfèrent toujours dans les grands moments de la vie, je n'ai pas réagi autrement que Missing Link lorsqu'il m'est arrivé la même chose. J'ai pleuré ouvertement, sans pouvoir me contrôler. Moi aussi je me suis retrouvée pendant des mois obsédée par ces images qui surgissaient aux moments les plus inopportuns. J'ai vécu le même cauchemar chaque nuit à la même heure, incapable de lire plus de quatre lignes d'affilée, incapable de comprendre, pendant des mois, des mois! Le sexe n'a pas grand-chose à voir là-dedans, c'est l'être entier qui est atteint.

Je quitte la pièce. Je ne supporte pas leurs commentaires. Dans le couloir je rencontre A. J. Nous échangeons quelques banalités sur le temps qu'il fait et sur nos prochaines vacances... N'importe quoi... Un peu plus loin, nous tombons sur Maurice. Il a l'air agité :

— Suzy, André, venez boire un pot avec moi, J'ai besoin de réfléchir.

Nous ne sommes pas enthousiastes. Que pourrions-nous faire pour lui? Mais il semble avoir grand besoin d'un peu de chaleur humaine.

— Venez, venez, juste un quart d'heure.

Nous descendons au bistrot du coin. Il est dix heures du matin, tout est tranquille, on va pouvoir bavarder. En voyant la petite serveuse, Maurice se remet à pleurer.

— Allons, allons, dit André en lui collant une bourrade qui devrait lui laisser des bleus...

J'ai peur, un instant, qu'il n'enchaîne avec « une de perdue, dix de retrouvées » ce qui serait assez dans sa manière. Il s'abstient. Nous commandons des cafés. Nous les buvons bêtement, en silence, ne sachant que dire. Missing Link rumine et de temps à autre, sort un immense mouchoir à carreaux pour s'essuyer les yeux. André remue les pieds sous la table. Il cherche du feu. Il se demande ce qu'il est venu faire dans cette galère, se racle la gorge et fait un effort :

— Ça va se tasser mon vieux, on a tous de sacrés moments dans la vie... Le temps arrange tout!

Bon. Tant qu'il donne dans le lieu commun, ça devrait aller.

Je suis un peu étranglée. Je me dis que je pourrais probablement aider Maurice. Il suffirait sans doute que je lui dise : « Maurice, moi aussi, il y a cinq ans... Maurice, je sais ce qu'on éprouve... Même si on croit comprendre, on ne peut savoir la souffrance que lorsqu'on l'a soi-même vécue... Lorsqu'on a vu la peau à laquelle on se frotte depuis longtemps avec tendresse, avivée par un autre contact... Lorsqu'on comprend au creux du ventre, au creux des couilles comme vous dites, tout ce que cela implique. Je sais ce que c'est le plancher qui se dérobe... Maurice, je sais à quel point on se fait horreur en se sentant submergé par l'incontrôlable jalousie... Je peux imaginer tout ce qui doit vous passer par la tête, le suicide, le meurtre, l'alcool, la fuite, n'importe quoi plutôt que cette absurde douleur... Maurice, il est un peu trop tôt pour vous l'avouer, mais je sais aussi qu'André a raison et qu'à la longue, plus ou moins bien, les blessures se cicatrisent... »

Naturellement je pourrais lui servir ce couplet lyrique et néanmoins sincère. Il faudrait sans doute lui prendre la main. Le contact physique, c'est une partie importante du réconfort... Peut-être lui remonter cette mèche récalcitrante qui lui retombe dans les yeux. Il faudrait s'approcher, se livrer un peu, partager avec lui ces souvenirs pénibles dont je ne parle pas volontiers. Est-ce que ça l'aiderait? Chaque peine n'est-elle pas unique?

André me regarde. Il guette le moment propice pour remonter au bureau. Il attend que je lui fasse signe. Missing Link, pour sa part, a complètement perdu la notion du temps. Alors, je fais machine arrière et lâchement, je me dégonfle. Si je lui parle, si je lui prends la main sous l'œil facilement égrillard d'André, l'atmosphère va se modifier. André va tout de suite supposer, qu'en tant que femme seule, je cherche à profiter sans attendre de la situation. C'est d'ailleurs tout à fait ce qu'il ferait, lui qui n'est pas seul, s'il avait l'occasion de réconforter une femme en détresse. André va le penser, et peut-être aussi Maurice car les hommes sont ainsi faits qu'ils ne croient pas à la gratuité de nos gestes, à l'authenticité de notre intérêt. C'est dommage.

Je ne suis pas prête à courir ce risque. J'aime bien Missing Link, mais je n'ai aucune envie de lui ouvrir mon lit. Pardonnez-moi Maurice, je n'ai pas eu le courage élémentaire de vous témoigner mon amitié en vous offrant le peu que j'avais à vous donner : ma propre expérience. Quelqu'un d'autre devra se charger de vos états d'âme. Un homme par exemple...

*
* *

— Vous gagnez bien votre vie pour une femme, me dit le vendeur auquel je montre une feuille de paie pour établir mon crédit...

Tout est là, « Pour une femme »! Je gagne bien ma vie, n'empêche que si j'étais un homme de mon âge et de ma compétence, je pourrais entretenir bobonne à la maison et rentrer à n'importe quelle heure pour trouver le dîner prêt et mon linge frais et bien repassé. Dans l'état actuel des choses, c'est à peine si je peux m'offrir quelques heures de femme de ménage une fois par semaine.

Cela dit, aucune de nous je crois ne souhaite gagner sa vie « comme un homme ». A la place de beaucoup d'entre eux, j'aurais trop honte soit de la pitance que l'on m'accorde et dont je me contente, soit de la surestimation inqualifiable dont mes capacités font l'objet. Je préfère gagner ma vie comme devrait le faire tout individu utile et compétent qui participe à l'élaboration du bien-être commun. Je préfère devoir prouver ma valeur à tous moments. C'est une forme d'honneur qui me séduit assez... Oserais-je l'avouer? Je suis optimiste. Il y a dans nos entreprises des gens qui sont en place parce que, comme le dit si drôlement Ivan Illich, ils sont les seuls, ayant fait de longues études « à avoir appris à se taire à l'école [1] ». On leur a appris à « valoriser l'avancement hiérarchique, la soumission et la passivité et même la déviance-type » qui est interprétée comme « un symptôme de créativité ». Mais on trouve aussi de plus en plus dans les mêmes entreprises des individus intelligents travailleurs et dynamiques des deux sexes, scolarisés ou non qui finiront bien par se retrouver aux places auxquelles ils seront les plus utiles tant à la Société qu'à eux-mêmes, quel que soit leur sexe. Il ne s'agira pas là de la mise en application de la plus élémentaire des justices, mais de la découverte inévitable de l'intérêt maximum de tous.

Une chose est certaine : les vendeurs ne sont pas près d'inverser leur commentaire :

1. I. Illich, *la Convivialité,* Seuil.

— Pour un homme, vous ne gagnez vraiment pas lourd!

Non, c'est impensable, et pourtant...

Je persiste à entrevoir des lendemains meilleurs où seront estimées les qualités réelles de l'homme ou de la femme en fonction simplement d'une meilleure gestion générale. Naturellement, nous ne parviendrons à cet âge d'or qu'en faisant trébucher quelques bouddhas bien installés, et, si besoin est, en en fusillant quelques autres.

Le dictateur dictant, par exemple.

Il ne prépare jamais rien. Il dicte. Il semble que sa fonction réelle soit de laisser tomber un à un de toute sa hauteur les mots sacrés qui, tout à l'heure, iront porter sa pensée profonde à un correspondant éloigné.

— Monique, dit-il, prenez votre bloc, j'ai quelques lettres... Elle est, bien entendu, blonde et dûment respectueuse. Elle prend trois crayons pour n'avoir pas à s'interrompre en cas d'accident. Elle s'installe sur l'inconfortable bord du profond fauteuil design réservé aux visiteurs que l'on veut mettre en état de moindre résistance. Si elle s'assied normalement, elle se retrouve enfouie. Impossible d'écrire.

— Heuh, fait-il... Messieurs...

Elle trace deux hiéroglyphes. Il allume une cigarette. Des Benson qu'il a eu hors douane sur un quelconque avion. L'odeur du tabac anglais la pénètre et lui dessèche le gosier. Moi aussi, se dit-elle, je fumerais bien une Benson. Il ne lui en offre pas. D'ailleurs, avec un bloc et trois crayons...

— Messieurs... Suite à notre récent entretien téléphonique...

Elle transcrit.

— Je vous confirme la visite de notre représentant M. Étienne Dupont...

Elle a déjà inscrit sur son carnet le premier épisode de la Pierre de Rosette lorsqu'il décide de tout changer...

— Non, dit-il. Rayez-moi tout ça.

Elle raye. Il reprend...

— Messieurs...

On commence toujours par Messieurs. Elle n'avait pas rayé ça.

— Alors, vous ne notez pas Messieurs?

— Ça y est Monsieur, c'est noté.

— Ah bon. Messieurs... Hreumm (raclement de gorge). Conformément à l'agréable conversation téléphonique que nous venons d'avoir... Ici, le téléphone sonne. Il s'offre un quart d'heure de conversation qu'il aurait pu concentrer en deux minutes quarante. Elle attend.

— Reprenons, dit-il. Qu'est-ce que j'ai dit?

Elle relit.

— Hreumm... Barrez « agréable »... Non, plutôt, barrez tout. Recommençons au début...

... Conformément à notre récent entretien

téléphonique, nous avons le plaisir de vous confirmer... Non. Barrez... Nous sommes heureux de vous confirmer le passage... Hreumm... Non, pas passage. Mettez visite... La visite de Monsieur Dupont notre représentant... Attendez... Mettez plutôt... Hremm... Supprimez « Représentant »... Il vaut mieux mettre « agent commercial ». Où en sommes-nous ? Voulez-vous relire ?

Elle relit. Elle relit comme ça des lettres insignifiantes tous les matins à la même heure. Son bloc renferme un ramassis d'infâmes gribouillis. Champollion n'y retrouverait pas ses petits, mais elle, elle relit. Elle va jusqu'à mettre le ton tant elle est dévouée.

— Poursuivons, s'exclame le dictateur inspiré. « Notre agent commercial à cette occasion vous présentera... » Ou plutôt non : « Notre agent commercial vous présentera à cette occasion... » Quoique ça fait une répétition. Au fond, mettez « représentant » dans cette deuxième phrase.

C'est ainsi qu'elle va prendre cinq lettres en suivant qu'il n'aura pas préparées davantage et qu'elle aurait écrites sans difficultés plus vite et mieux que lui car après tout, c'est son métier. Elle est blonde, douce, patiente. Elle a à son actif six années studieuses au lycée, plus deux années de spécialisation. Naturellement il n'y a que deux ans et demi qu'elle travaille dans la maison, mais tout de même... L'entreprise consacrera à cette précieuse lettre et à ses semblables quatre heures de cadre et cinq heures cinq de secrétaire... en comptant la frappe, la mise sous pli et le classement. Si on lui permettait de rédiger ce type de courrier, elle s'en tirerait parfaitement directement à la machine en moins de dix minutes de travail secrétarial... Les gestionnaires devraient bien finir par le comprendre...

Pour qu'ils le comprennent il faudrait sans doute que nous puissions parvenir à dégonfler la baudruche de la sténo. A l'époque du magnétophone portable et bon marché, meilleur marché en tout cas que le temps de la secrétaire assorti de ses charges sociales, la sténo ne sert plus de façon rentable qu'à prendre *in-extenso* des messages téléphoniques compliqués ou des rapports hautement techniques. Je dis « de façon rentable » car, en fait, elle reste un instrument incomparable pour étayer le narcissisme masculin et regonfler l'amour-propre des dirigeants. Un cadre qui dicte n'est déjà presque plus un homme. C'est un surmâle qui tient en son pouvoir une colombe sans défense assise plus bas que lui, tant dans l'échelle sociale que sur les sièges du bureau, colombe qui ne peut décemment qu'admirer son style puisqu'elle est parfaitement placée pour constater avec quel soin laborieux il rédige son courrier.

La colombe en a par-dessus la tête. Elle se

demande ce qui lui a pris de choisir ce métier ridicule. La révolution, ce n'est guère son rayon, mais elle se sent devenir tigre.

Les *Bouffons de Buffon,* ou cacographes inconscients, semblent avoir compris cela. Ils ne dictent pas, ils écrivent. En privé, devant la feuille blanche, ils soignent leur texte. « Le style, c'est l'homme même » si l'on en croit Buffon. Avec eux, on ne perd pas de temps, tout est précis à la virgule, il n'y a plus qu'à taper. Parfois, avec les grands et vrais patrons, avec les respectables, c'est fabuleux... La lettre qui vous est confiée est une merveille de précision, de concision, de courtoisie et de fermeté. On ne peut qu'admirer et savourer l'instant d'émotion. Le genre de lettre dont nous régale parfois B.J. qui lui, appartient à la branche noble de la catégorie.

Mais le plus souvent hélas, la lettre soigneusement rédigée est confuse, emberlificotée, quand elle n'est pas une insulte pure et simple à la grammaire ou à l'orthographe. Ce ne serait pas grave si le rédacteur n'était pas maladivement fier de son œuvre, tout comme un auteur mal-aimé. Alors, elle la lui tape cette œuvre. Comme elle est consciencieuse, à chaque ligne elle se dit : « Est-ce que je corrige ou pas? » L'orthographe, on peut y aller, il ne s'en apercevra même pas... Mais le style... Le style... L'image de marque c'est important, y compris celle du « Bouffon » lui-même. Elle se jette à l'eau, rectifie une maladresse, redresse une proposition relative, efface une ambiguïté involontaire... Tout cela ne se fait pas sans mal car, pour préserver l'amour-propre du « Bouffon » il faut, de surcroît, prendre l'air incurablement idiot...

— Oh, monsieur, vous m'excuserez... Je tapais tellement vite que je me suis trompée dans votre phrase, au deuxième paragraphe... Et puis aussi un peu au troisième... J'espère que ce n'est pas grave... J'ai dû modifier légèrement. Ça m'a obligée pour rester logique et respecter votre pensée à transformer un peu la dernière partie... Si ça ne va pas, je la retaperai...

Ne croyez pas que j'exagère, il faut au moins ça!

— Faites-voir, dit l'Homme. Il relit. Naturellement que ça va...

C'est trois fois plus clair dix fois plus élégant et nettement plus court. Il est même content de lui le « Bouffon ». Une bonne lettre qu'il a pondu là!

— Ça ira, dit-il, indulgent. Et il appose au bas de l'œuvre ainsi parachevée un splendide paraphe, le sien.

Le plus habile c'est, je crois, le *Grimpeur Nécrosophe.* Celui-ci, qui pourtant n'appartient pas à une espèce rare, est à classer parmi les moins connus. Il n'est qu'indirectement néfaste et ne se repère qu'à la longue C'est un grand producteur. Dès qu'il a une idée, il la note, ce qui est fort respectable. Il en fait un rapport, ce qui peut être utile. Puis il le distribue, ce qui est toujours surprenant. La liste des destinataires de ses élucubrations est en effet construite comme les fichiers d'un service de marketing : Professions libérales de plus de quarante ans, ménagères sans distinction d'âge dont les revenus mensuels dépassent le S.M.I.C... Adolescents non-salariés ayant obtenu le B.E.P.C. avant dix-huit ans et ayant fumé trois fois du hasch... etc. Pour la liste du grimpeur toutefois, un seul critère : Distribution? Toutes les personnes de près ou de loin susceptibles de favoriser sa carrière et auxquelles il peut être utile de rappeler de temps à autre qu'il existe et qu'il travaille, indépendamment des centres d'intérêt ou des responsabilités desdites personnes.

Parallèlement, il demande à ce que son nom soit ajouté à d'obscurs documents distribués par d'autres services, à seule fin que ce nom circule jusque dans les coins les plus éloignés de la maison. Une véritable campagne électorale permanente. Il ne manque d'ailleurs pas d'imagination et, plutôt qu'un rapport circonstancié, émet parfois une courbe (ascendante naturellement) ou un camembert, sachant combien il importe de varier la présentation, de charmer l'œil du lecteur. Les petites finesses du Grimpeur, lorsqu'elles n'irritent pas la Direction, atteignent parfois leur but. Il est promu. A n'importe quel poste mais promu tout de même. Naturellement, la première satisfaction émoussée, il perfectionne sa technique puisque aussi bien elle a porté ses fruits.

La perfection suprême se crée aux dépens de la secrétaire. Grimpeur sent parfois son bon public excédé par l'abus des distributions de tous ordres. Il lui faut trouver autre chose. Il invente donc une quelconque campagne qui nécessitera un coup de feu au niveau du secrétariat. Sa secrétaire est, naturellement, occupée à plein temps par son activité habituelle. Il demande donc une intérimaire. On la lui accorde avec réticences, pour trois semaines. Il la garde plus d'un mois et fait savoir que le travail n'est pas terminé. On prolonge le contrat. Il finit par la garder trois mois.

Il n'y a pas plus de travail réel dans le service, mais Grimpeur s'est ingénié à compliquer les tâches, à multiplier les paperasses, à élaborer les classements, à inventer des procédures rigides et complexes qui alourdissent le travail de tous. Lorsqu'il a bien occupé le temps de la secrétaire en place et celui de l'intérimaire, il produit un petit état qui décrit en détail leurs rôles respectifs, et précise le temps qu'elles consacrent à telles ou telles occupations. Une fois ce petit document bien au point, il le soumet insidieusement au chef du Personnel en lui posant — de vous à moi — la question suivante : « Ne croyez-vous pas qu'il serait plus rentable pour la maison d'engager une nouvelle secrétaire plutôt que d'entretenir une intérimaire à ce poste ? » Naturellement. Vu sous cet angle, il a raison. Personne ne paraît remarquer qu'il a créé le poste de toutes pièces en compliquant à loisir le travail. Le voilà donc avec deux secrétaires. Bientôt, si on n'y met pas bon ordre, il en aura trois. Il pourra alors suggérer qu'une position comme la sienne qui occupe trois secrétaires à plein temps mériterait sans doute un autre titre, une autre rémunération... Qui donc pourrait lui soutenir le contraire hormis les secrétaires elles-mêmes qui, à ce jour, n'ont jamais eu droit à la parole ?

Mon Grimpeur Nécrosophe favori a vu sa carrière stoppée en plein essor par un grain de sable inattendu dans sa mécanique pourtant bien rodée. La troisième secrétaire présentée par la maison d'intérim portait des blue-jeans une longue barbe ondulée et une chevelure assortie. Grimpeur, frappé de stupeur, n'a désormais plus osé. Dicter ses petites productions à quelqu'un dont la sténo était rapide et la dactylo parfaite, ça ne l'avait jamais gêné à condition que ça porte des jupes, courtes de préférence, et que ça n'ait pas trop vécu ni voyagé. Mais dicter à un barbu hirsute qui parfois sortait une pipe de marin et s'avérait parfaitement compétent, ça l'a rendu comme impuissant! Quand il a vu et entendu l'anglais de son nouveau secrétaire, le véritable « King's English » de la définition, « tel que le parle un gentleman cultivé du Somerset », anglais mûri le long des routes des Indes, sur les quais de Londres ou d'Amsterdam, et qu'un séjour en Californie n'avait pas réussi à modifier, notre Grimpeur a mesuré toutes ses insuffisances... Enfin presque! Terrassé par ses complexes, il a renoncé à étayer sa promotion en sur-gonflant son secrétariat. A tel point que j'ai une fois de plus constaté qu'une des réponses possibles aux problèmes des femmes au travail serait peut-être d'ouvrir aux hommes les emplois qui nous sont traditionnellement réservés.

On trouve rarement dans nos bureaux des archétypes aussi nets que ceux que je viens de décrire. Le plus souvent les genres se mélangent. Des détails individuels viennent personnaliser les caractères. Celui-ci se met à travailler énergiquement vingt minutes avant la sortie et retarde sa secrétaire. Celui-là perd les papiers, les déclasse, les emporte, ne les rend jamais et vous blâme. Tel autre n'a pas de carnet d'adresses. Vingt fois par jour il vous dérange et se fait préciser une rue, un numéro de téléphone, une raison sociale, comme un enfant de deux ans qui veut s'assurer de la parfaite disponibilité de sa mère. Tel autre encore répond tardivement à son courrier et, sournoisement, vous oblige à antidater ses lettres de manière à ce que l'on puisse penser que c'est vous, la secrétaire, qui avez oublié de les mettre à la poste. Votre fierté professionnelle est toujours aussi loin que possible de ses préoccupations et il est très surpris à l'occasion, lorsque vous protestez... Parfois même, il est authentiquement peiné.

Ainsi certains crient, d'autres frôlent, d'autres ont mille maniaqueries qu'ils mettent sur le compte de leur sens de l'organisation. Ça ne fait rien. Les filles sont là pour ça. Elles tiennent le coup. Des Geishas bien entraînées qui ne protestent que rarement mais qui, tout de même, à la manière de Valéry Giscard d'Estaing, « n'ont jamais confondu la grandeur avec la boursouflure ».

***

B. J. (prononcez Bidjay pour la circonstance) attend « les Américains ». Grand branle-bas de combat. Quelqu'un aux Ventes semble avoir décroché le contrat du siècle. « Les Américains », c'est-à-dire notre direction générale en personne, viennent assister à cette signature historique. B. J. fait montre d'une excessive fébrilité. Il a déjà téléphoné vingt fois dans tous les services sous des prétextes divers. Il faut lui confirmer que les chambres d'hôtel ont bien été retenues, que des fleurs ont été prévues pour l'épouse du client... « Faites aussi porter une documentation complète sur les matériels complémentaires dans la chambre du client... La nouvelle série, bien sûr... On ne sait jamais... »

Il faut aussi lui relire toutes les dispositions qui ont été prises pour que le client d'une part, les Américains de l'autre ne courent jamais aucun risque de s'ennuyer ni même de trop réfléchir au cours de leur bref séjour. « Qui déjeune avec eux mercredi? »... « Qui les conduit au salon? »... « Qui les pilote sur notre stand? »... « Et qu'a-t-on prévu jeudi soir? »

Il s'apaise en constatant que chacun est discrètement au garde-à-vous, prêt à bondir sur le parcours du combattant. Tout devrait se passer sans à-coup.

Le contrat premier jet a été rédigé, dactylographié, corrigé, redactylographié, modifié, dactylographié à nouveau, remanié, retapé et relu définitivement. Maintenant, il nous en faut cinq exemplaires originaux. Pas de doubles, pas de photocopies. Ce texte de douze pages doit à présent être fixé dans sa forme définitive. B. J.

qui tout au long de l'année n'est pas un mauvais bougre, devient exécrable lorsqu'il s'agit de gros contrats. Il les veut justifiés à droite, impeccablement. Justifiés à droite, si vous vendez de la choucroute ou des abat-jour ça ne vous dit peut-être rien. Mais si vous êtes imprimeur ou super-dactylographe, vous savez parfaitement de quoi je parle.

Il ne s'agit guère que de taper douze pages d'un texte juridique serré en respectant scrupuleusement chaque virgule mais surtout en obtenant à droite de la page une marge aussi large et aussi parfaite que celle que la machine vous assure automatiquement à gauche. Cela signifie bêtement qu'il faut compter chaque caractère, chaque signe, chaque intervalle qui composeront chaque ligne, envisager éventuellement la coupure d'un mot ou son report à la ligne suivante et mettre au point en fonction de tout cela la répartition harmonieuse des blancs entre les mots. Tout un travail minutieux de dentellière, tout un obscur artisanat qui reste le plus souvent méconnu. Élisabeth s'y met. C'est elle la grande spécialiste pour ce genre d'article... Sans gommer, sans effacer, à petits pas, son texte prend forme. Une œuvre d'art. C'est elle aussi qui tapera la version anglaise que je suis en train de traduire. Pour l'anglais, il faudra d'ailleurs tout recalculer en rétrécissant les lignes, en élargissant les interlignes, car si nous conservions la même définition le client probablement se sentirait inquiet et frustré. Il faut avoir recours à des ruses d'éditeur pour qu'il se retrouve avec ses douze pages. La version anglaise de n'importe quel document dont l'original est en français donne toujours un texte plus court d'environ trente pour cent.

Élisabeth tape lentement, fait une pause, calcule la ligne suivante. Elle va mettre au moins deux ou trois jours à faire ce travail. Pendant ce temps, Fabienne assure tout le courrier et expédie les affaires courantes. Je parcours en tout sens la maison pour voir si quelqu'un, quelque part, ne disposerait pas d'un peu de temps libre pour venir seconder Élisabeth.

Il y a, en gros, deux catégories de secrétaires : celles qui sont toujours prêtes à donner un coup de main, et les autres. Les autres pourtant ont toujours l'air très occupé, alors que les premières le sont vraiment. Il s'ensuit que dans toutes les sociétés les secrétaires aimables, rapides, compétentes et efficaces sont toujours surmenées puisque tout le monde sait qu'elles rendent volontiers service. Mais n'allez pas croire qu'elles soient plus appréciées que les petites délicates de tous âges qu'affectionnent la plupart des chefs de service. La promotion malheureusement ne passe pas par les services réellement rendus à l'entreprise mais par l'image que chaque cadre perçoit de lui-même dans les yeux de sa secrétaire.

Naturellement, ce n'est pas avec les filles elles-mêmes que je vais prendre langue, mais avec leurs patrons. Pas question de court-circuiter la voie hiérarchique, ça me serait fatal.

— A.B., avez-vous besoin de Mlle Loubet tout l'après-midi? Nous avons le gros contrat Smith Gordon & Smith à terminer et je cherche un peu de renfort pour Élisabeth...

— Ma foi... J'ai bien une lettre mais ça n'est pas urgent. Smith passe en priorité. Voyez donc ça avec elle.

Mlle Loubet ne juge pas utile de m'adresser directement la parole. Elle aussi suit la voie hiérarchique, c'est plus sûr. Elle se précipite dès que je lui ai parlé dans le bureau de son « homme »...

— Mais monsieur, souvenez-vous de tous ces dossiers que je dois encore classer... Vous travaillez tellement mieux si tout est bien en ordre... Et puis j'ai encore ces deux lettres... Vous savez bien... Elles sont urgentes...

— Quelles lettres?

— Celles que vous m'avez dictées hier soir... Qu'est-ce que j'ai comme boulot! Jamais je ne vais me tirer de tout ça! Et puis d'ailleurs, je veux bien y aller mais avouez qu'il y en a d'autres dans la maison, qui ont moins de travail que moi... C'est toujours les mêmes...

Bon. Pourquoi insisterais-je? Elle parvient même ma parole à avoir l'air essoufflé. Je n'ai besoin que d'une bonne volonté à titre exceptionnel. Je n'ai que faire de jérémiades. Je renonce.

Je renonce ainsi deux ou trois fois devant des prétextes divers, devant des femmes au travail qui fonctionnent comme autant de petites ménagères qui ne souhaitent pas que l'on vienne perturber leur routine, même s'il y va de l'intérêt de tous. Dans le couloir, je rencontre Marie-France.

— Bonjour madame.

— Bonjour Marie-France. Comment va la vie?

— Bof... Ça va. Je suis plongée dans les relances, c'est la barbe.

— Vous avez beaucoup de travail?

— Assez, oui.

— Vous n'avez pas envie d'en accepter un peu plus?

— Quel genre?

— Le contrat Smith Gordon & Smith à taper. Justifié. Ça aurait dû être prêt hier soir naturellement. Nous sommes en retard. Élisabeth a déjà entamé le premier exemplaire. Elle a fait tous les calculs, il n'y a plus qu'à suivre...

— Si D.P. est d'accord, moi je veux bien, ça me changera...

Nous entrons chez D.P. Aucun problème. Qui se ressemble s'assemble. Si la secrétaire est coopérative, le cadre l'est aussi, et réciproquement. Il y a, Dieu merci, des gens qui savent qu'ils sont attelés au même joug et que, jusque dans les plus petits détails, la solidarité est non seulement une règle sacrée mais encore l'attitude la plus raisonnable, la plus efficace. Sauvés! J'entraîne Marie-France en retenant un soupir de soulagement.

Ce n'est pas la première fois que Marie-France nous vient en aide. Ce n'est pas non plus la première fois que Mlle Loubet nous refuse son concours. Si bien que je suis étonnée que l'on veuille faire du combat des femmes une affaire de classe. Il existe une véritable faille entre une femme de trente-cinq ans qui n'a jamais travaillé, ne sait rien faire et cherche un petit mi-temps pour s'occuper l'esprit et ma mère qui a élevé seule ses enfants et a consacré toute une vie à l'une de nos grandes administrations, préparant encore un concours dans les dix-huit mois qui précédèrent sa retraite. Il y a un monde entre la petite blonde qui se trouble ostensiblement, rougit, baisse les yeux ou fond en larmes dans le bureau de son chef de service en lui laissant penser qu'il a toujours raison, et la grande brune un peu têtue qui se risque à émettre fermement une suggestion qui pourrait bien, si on l'appliquait, améliorer sérieusement le fonctionnement du service.

Si nous sommes une classe sociale, ce dont naturellement je doute, il faut convenir que nous sommes en gros divisées en deux catégories : les professionnelles et les autres. Autrement dit celles qui exercent bien un métier, encore qu'elles soient femmes, et celles qui restent femmes avant tout, qu'elles travaillent ou non. Dans tous les domaines de la vie, les amateurs font du tort aux professionnels, comme vous le confirmeront les médecins, les sportifs, les enseignants et les prostituées. Cependant, les enseignants, les prostituées, les sportifs autant que les médecins ont parfaitement appris à se défendre. Tous, sauf nous autres femmes qui sommes encore trop jeunes dans ce genre de combat. Nous débouchons à tâtons d'un Moyen Age culturel pour prendre d'assaut les places fortes de notre société phallocentriste, comme pourraient dire les chantres de la libération féminine... Cela ne va pas sans faux pas, sans hésitations. Cela ne va pas sans courage.

Certaines des formes de ce courage pourraient consister il me semble en un refus permanent de se laisser juger en tant que « femmes ». Surtout lorsque le concept de « femme » s'accompagne de l'implication d'amateurisme au niveau du travail, ou de « féminité » dans le sens le plus éculé du terme. Il faudrait sans doute se détacher de la notion de classe sociale, relique du XIXe siècle, qui associe les plus sensées d'entre nous à celles qui demeurent hélas les plus marquées par les tabous et les rites socioculturels traditionnels. Nina Companeez a coutume de dire : « Ce ne sont pas mes films qu'ils jugent, mais des films faits par une femme... »

Il faudrait tout simplement n'accepter de critères que basés sur l'humain. La solidarité de l'espèce n'est plus ici un devoir, bien au contraire. Elle entrave la marche en avant de toutes. L'ennemi ce n'est plus l'homme avec son arrogance et sa vanité mais la femme du style « Ancien Régime », qui perpétue pour le plus grand confort de l'homme l'image traditionnelle de la femme dont nous souhaitons nous débarrasser.

***

Élisabeth est déjà au téléphone, la voix poliment excédée.

— Mais monsieur Brown, dit-elle dans son anglais parfait, je suis justement là pour vous comprendre... (elle ne dit pas « je suis payée pour vous comprendre », mais c'est tout juste)... Expliquez-moi ce qui ne va pas...

Je sais qu'à l'autre bout du fil, quelque part au-delà de la Manche, Papa Brown dont la femme était peut-être suffragette dans les années vingt, hésite à confier à une oreille féminine les soucis d'ordre technique que lui cause son équipement. Ces réticences mettent toujours Élisabeth dans une rage froide...

— Si seulement nous disposions d'un balayeur bilingue, dit-elle parfois, nous pourrions le passer aux clients méfiants. Ils n'hésiteraient pas une seconde à accoucher dans une oreille masculine, même incompétente.

Elle a raison, je l'ai mille fois constaté. Au mieux, le client est disposé à parler, mais il faut un peu le rassurer :

— Vous êtes bien sa secrétaire n'est-ce pas?

— Bien sûr monsieur, naturellement, exactement, sa secrétaire, ni plus ni moins...

La question tombe parfois sur moi et je réponds « oui », moi aussi, c'est tellement plus simple et plus rassurant pour ces pauvres clients...

Tout en pratiquant sur Papa Brown une forme audacieuse de maïeutique Élisabeth me fait signe de regarder sur mon bureau... J'y découvre une note manuscrite de B.T.C., accrochée à une demande de listing que je lui ai adressée.

« Me voir à ce sujet » a écrit B.T.C. sur son papier... Bon. Je me demande bien ce qu'il me veut qu'il ne peut pas traiter par téléphone. J'irai tout à l'heure.

Élisabeth raccroche brutalement. Elle est déjà en colère...

— Savez-vous ce que ce salaud de Papa Brown m'a dit?

— Non.

— Il m'a dit « Vous êtes vraiment très compétente, pour une femme... »

— Et alors, dit l'un de nous, vous l'êtes, non?

— Bien sûr, mais tout de même...

Vous êtes très compétente, pour une femme,
Vous êtes très travailleur, pour un Arabe
Vous êtes très généreux, pour un juif
Vous êtes très instruit, pour un nègre...
vous trouvez vraiment ça acceptable? Vous diriez ça, vous?

Ils ne rient pas. Ils sont interdits. Ils sont toujours interdits quand vient les frapper une vérité élémentaire, ancestrale, qu'ils bafouent chaque jour depuis des siècles. Eux, ils trouvaient plutôt ça gentil de la part de Papa Brown... Les points sur les « i », si tôt le matin, ça leur fait l'effet d'une douche froide...

Ce week-end, Élisabeth est allée voir sa famille à Dijon. Elle m'a rapporté une perle qui la fait hurler elle aussi. Elle me tend la première page d'un journal local que je lis avec intérêt.

« Il ne saurait être question de nous faire jouer les puéricultrices... Torcher bébé et lui administrer le biberon sont des tâches attentatoires à la dignité du mâle investi du suprême honneur de perpétrer (sic) le geste auguste du semeur [1]... »

Élisabeth guette ma réaction. Je ris et ça la fâche un peu.

— Vous n'allez tout de même pas me dire que vous trouvez ça drôle...

— Ma chère, ce n'est pas du fond que je ris, c'est plutôt de la forme. Songez que ce monsieur qui de surcroît signe « Ésope » avoue lui-même « perpétrer » ce qu'il appelle curieusement le geste auguste du semeur... (Ah oui, c'est vrai : va, vient, lance la graine au loin... ouvre la main et recommence...) Il perpètre, il ne perpétue pas. On se prend à plaindre sa femme...

— Bien sûr, vu sous cet angle... Mais tout de même, je m'étonne que les Dijonnaises n'aient pas mis la rédaction du journal à sac. La moutarde, si je peux me permettre, a bien dû leur monter au nez...

Les hommes de notre bureau tendent l'oreille dès qu'Élisabeth et moi entamons l'un de nos fréquents débats.

— Qu'est-ce que c'est encore, demande-t-on de toutes parts?

Élisabeth fait circuler le journal avec son article encadré. Tout le monde prend connaissance des quarante lignes agressives qui com-

1. *Les Dépêches de Dijon*, 25.07.74.

plètent le passage que je viens de citer, et qui ont été inspirées par la nomination de Françoise Giroud au poste de secrétaire d'État à la condition féminine.

Heureusement, ce semeur-là ne les enchante pas. Il va tout de même un peu trop loin.

— Il doit avoir quatre-vingts berges, dit quelqu'un...

— Quatre-vingts berges au moins. Moi j'aime assez m'occuper de mes gosses, dit un autre...

— Moi aussi. Je faisais même la vaisselle jusqu'à ce que j'achète une machine à ma femme...

Ils sont assez jeunes, ils sont gentils, pas hostiles du tout. Ceux-là, lorsqu'ils ont semé, ils restent prêts à surveiller la récolte, à engranger la moisson. Ils sont révoltés par la forme d'honneur que revendique Ésope. Ils l'expriment sans ambages...

Allons, tout n'est pas perdu. Nous finirons bien par trouver un terrain d'entente, un *modus vivendi* acceptable par tous. Cette manifestation de solidarité inattendue et unanime réconforte Élisabeth. Je la laisse à son travail, l'âme en paix, et je vais voir B.T.C. qui règne sur l'ordinateur. Je constate qu'on a rénové les locaux dans l'aile du département informatique. Il semble même qu'un nouvel ordinateur nous soit né, s'ajoutant aux précédents. Le plancher a été surélevé pour mieux absorber les vibrations des équipements, je remarque que le conditionnement d'air est d'un modèle plus récent. On baigne là dans un recueillement de chapelle. Le Saint des Saints, ni plus ni moins. B.T.C. voulait me faire admirer tout ça, je comprends maintenant la raison de son « Me voir à ce sujet »!

Les officiants de cet étrange culte se déplacent avec onction, parmi eux, B.T.C., le plus onctueux de tous, tient sa cour. Il me reçoit debout au milieu des objets rituels et s'imagine vêtu d'une cape de pourpre et d'hermine. Moi, je le vois assez comme Labiche voyait M. Perrichon : les plumes de paon lui poussant dans la redingote...

— Un listing, me dit-il, c'est toute une affaire... Pensez donc... trois mille cinq cents noms et adresses... Et avec notre nouvel ordinateur, nous devons tout réorganiser... Ça prend du temps...

Bon. Il veut se faire mousser un peu. J'écoute, je sais parfaitement à quoi m'en tenir. Dès qu'il a le dos tourné, qu'il parte en vacances ou aux sports d'hiver, je m'adresse à son adjointe qui me fournit ce même listing, régulièrement tenu à jour, en moins de vingt minutes sur le vieil ordinateur. Lui m'annonce quinze jours de délai. Que puis-je faire sinon hausser moralement les épaules?

En retournant vers mon bureau un sentiment

de bien-être soudain me saisit. Je me dis que la « conjoncture » a bien dû se muscler un peu puisque à nouveau la vanité masculine reprend si bien ses droits, et qu'Élisabeth semble plus que jamais prête à se battre... A peine suis-je assise que mon téléphone sonne. C'est B.J. qui m'appelle sur la ligne intérieure...

— Vous savez, dit-il, ma lettre a porté ses fruits. La grande Sonia arrive ce matin avec le contrat...

— Tant mieux, dis-je en songeant que vendredi soir tous mes gosses viennent passer le week-end avec dix-huit copains... Tant mieux, tant mieux...

* * *

CHAPITRE 2

Pas mal... pour une femme

La « conjoncture » en question vient de m'asséner un coup inattendu : quelques semaines de chômage technique qui vont perturber mes prochaines fins de mois. A l'horizon, des échéances qui n'attendront guère : les impôts, le loyer, les mille et une factures qu'un état de prospérité raisonnablement constant vous procure inévitablement. Je suis une cigale et n'ai que peu d'économies. Une seule solution : les restrictions. Nous aurons un Noël aux nouilles, peut-être même aux nouilles sans fromage.

Mises à part ces difficultés financières, cette inactivité temporaire transforme ma vie. J'ai le temps d'aller au marché. Je me revois avant mon divorce avec ma grande famille à nourrir deux fois par jour sans compter les petits déjeuners et les goûters, le plus sainement et le plus économiquement possible. Les paniers d'alors débordaient de fruits, de légumes, de yaourts et de steak haché. Deux ou trois fois par semaine, pendant des années, je suis revenue du marché avec au bout des bras des poids incroyables. Parfois, je poussais en plus un landau dernier modèle où trônait le nourrisson de l'année. C'était avant les hypermarchés, avant la femme au volant, à une époque où la législation sociale interdisait déjà de faire porter aux femmes salariées des charges excédant vingt-cinq kilos, mais où, parallèlement, les lois sociales favorables à la famille évitaient soigneusement d'évaluer le poids des lessiveuses pleines de linge et d'eau qu'il nous fallait hisser sur nos cuisinières puis redescendre, ni le poids des cabas qu'il fallait porter plusieurs fois par semaines pour nourrir des maisonnées toujours croissantes... C'était avant les machines à laver, avant les surgelés, les instantanés de tous ordres, avant les litres de plastique, à une époque pas si lointaine où le litre d'eau pesait au moins un kilo six cents, et un litre de lait ou d'huile plus encore... Je ne sortais jamais sans quelques bouteilles vides, sans quelques pots de yaourt. Les femmes des années 50 ne se reconnaissaient plus à leur gentil frou-frou mais bien au glin-glin des litres vides qu'elles allaient rendre à l'épicier pour en rapporter des pleins.

J'avais horreur de ces corvées, mais j'aimais le marché et je l'aime encore. Je décide donc d'y suivre mes voisines, puisqu'en ces temps difficiles, j'en ai l'occasion. Cette fois-ci, je descends par l'escalier, histoire de garder la forme. Les bavardages de quelques dames me parviennent du rez-de-chaussée. Un murmure, tout d'abord indistinct, puis des mots plus précis qui m'atteignent et qui m'incitent je l'avoue à continuer ma descente en catimini. Il semble qu'elles décortiquent l'inscription qui identifie ma boîte aux lettres :

— Simone Ruèze, Suzy Vergez, Isabelle et Mimosa Le Chevallier... Qu'est-ce que ça peut être toutes ces bonnes femmes? demande l'une...

— Bizarres, tous ces noms... Une communauté de femmes peut-être?

– C'est vrai, pas un bonhomme... J'espère que ce ne sont pas des call-girls... Mimosa, quel drôle de nom... C'est pas un nom normal...

— Des call-girls ou un gang M.L.F...

— Pensez-vous, pas dans un immeuble comme celui-ci. Les femmes seules, ça n'a pas les moyens, tandis que les prostituées, un peu organisées, ça gagne bien...

Maintenant, dans l'escalier, je fais du bruit. Mes talons sonnent, je leur tombe dessus. Elles comprennent que j'ai entendu et sont sur la défensive... Je les toise. Vingt ans et vingt kilos d'excédent. Est-ce que je ressemble à une call-girl? Ai-je même l'air d'appartenir au M.L.F.?

Je les toise et je les méprise. Je souffre de leurs commentaires et j'ai honte pour elles qui sont femmes autant que moi, de la débilité dans laquelle elles sont tombées. Ne peuvent-elles imaginer autre chose que des call-girls ou des contestataires extrémistes? Imaginer par exemple tout simplement la vérité?

Simone Ruèze : retraitée, vingt-trois ans de mariage et vingt ans de divorce. Deux enfants, six petits-enfants, un arrière-petit-fils et encore plus de vingt ans à vivre, si tout va bien.

Suzy Vergez : salariée, vingt ans de mariage, cinq ans de divorce, quatre enfants, un gendre, une belle-fille, un petit-fils et encore la moitié d'une existence.

Isabelle et Mimosa Le Chevallier : majeures depuis peu, l'une étudiante, l'autre secrétaire, l'une et l'autre célibataires, indépendantes, imaginatives, ouvertes, dévouées, généreuses, pas résignées du tout. La vie devant elles...

Autrement dit, ma mère, mes filles et moi sur la même étiquette. Ma mère, mes filles et moi qui sans conteste descendons les unes des autres, plus unies et plus individuelles que des Matriochkas, ces poupées russes de bois peint qui s'emboîtent à volonté. Ma mère, mes filles et moi, quatre femmes indépendantes qui habitons parfois ensemble, qui nous soutenons, nous supportons, nous serrons les coudes. Ma mère, mes filles et moi que la loi sépare par les incohérences de l'état civil et que la vie rapproche par une grande communauté de goûts, de tendances, de tempéraments. Ma mère, mes filles et moi qui nous ressemblons tout autant que les Poliakov ou que les Gabor et qui ne souhaitons qu'une seule chose : qu'on nous laisse vivre en paix, même sous les noms différents que nos pères respectifs nous ont légués.

Si comme le dit Péguy la paternité est « un acte de foi », la maternité, ce fait irréfutable, peut devenir un acte de bravoure ne serait-ce que par les retenues qu'il impose. Aujourd'hui, j'ai envie de casser la figure à ces commères curieuses qui, habituellement ne m'inspirent que la plus distraite commisération.

Je devrais pourtant être habituée. Pendant des années, il m'a fallu expliquer aux autorités scolaires que, bien que ne portant pas le même nom que mes filles, je les avais cependant mises au monde et que j'en avais la charge. C'était toujours pénible autant pour les enfants que pour moi. Plus récemment, alors que je croyais ce problème raisonnablement réglé par l'émancipation naturelle de mes enfants, j'ai reçu le choc de ma vie. Ma mère, ayant acheté un petit studio pour y passer une retraite paisible, m'a demandé d'avaliser son emprunt. Les formalités me paraissaient simples mais, apparemment, la Société

Foncière n'avait jamais vu le cas d'une fille adulte venant épauler sa mère. On voyait couramment des fils dans ce rôle, ou des parents aidant leurs enfants. De fille servant de pilier, jamais. Nous avons eu toutes les peines du monde à prouver notre parenté. Il nous a fallu revenir plusieurs fois, fournir des extraits de naissance de tous nos parents mâles, des certificats de mariage portant mention marginale de nos divorces respectifs, des années de bulletins de paie et autres paperasses indispensables. Un fils et un père qui se trouvaient là pour les mêmes raisons et dans le même temps ont réglé l'affaire en moins de dix minutes, sur présentation de leur carte d'identité et d'une seule feuille de paie. D'ailleurs j'ai très souvent constaté qu'on ne demandait jamais aux hommes s'ils étaient mariés, ou divorcés. Personne ne semble contester leurs achats ou leurs prises de position.

« Les femmes n'ont pas de Droits de l'Homme », avoue Pascal Jardin [1]. Tant que le législateur, ce mâle collectif s'obstinera à préférer l'acte de foi au fait biologique élémentaire et indiscutable, il nous faudra supporter ces ennuis. J'ai beau me raisonner, je ne suis pas encore blindée, je ne parviens pas à ne plus en souffrir.

1. Pascal Jardin, *la Guerre à neuf ans*, Grasset.

*
* *

Dans *l'Encyclopédie de la femme,* parue aux Éditions Fernand Nathan, en 1950, on peut lire, dans la rubrique « Éducation des filles » : « Elle doit se faire dans le sens le plus altruiste. Le rôle de la femme dans la vie est de tout donner autour d'elle : confort, joie, beauté, tout en gardant le sourire, sans faire figure de martyre, sans mauvaise humeur, sans fatigue apparente. C'est une lourde tâche. Il faut entraîner notre fille à ce renoncement perpétuel et heureux. Dès la première année, elle doit savoir spontanément (?) partager ses jouets, ses bonbons, et donner ce qu'elle a autour d'elle, *surtout* ce à quoi elle tient le plus. »

Tout à fait ça. On ne saurait mieux dire. Pas un mot de trop. C'est dans ce sens que ma mère m'a élevée, c'est dans ce sens qu'elle a elle-même été dressée à donner « spontanément ce à quoi elle tient le plus »... Sans se plaindre et de surcroît en affichant un sourire permanent... Ce « *surtout* » est à lui seul révélateur. Il semble y avoir une vertu particulière à donner de préférence ce à quoi on est le plus attaché...

C'est grâce à ce programme généreux que ma mère et moi ainsi que d'innombrables femmes avons tenu vingt ans un rôle bien défini, aimable et total auprès d'hommes de nos âges, pas plus mauvais que d'autres, qui, comme tous leurs contemporains avaient reçu de leurs mères la même éducation en négatif...

Mes révoltes pourtant m'inquiétaient. Elles me paraissaient être le symptôme d'un profond déséquilibre. Je me croyais seule à souhaiter entreprendre un combat que toute ma formation première me désignait pourtant comme injuste. Autour de moi les autres femmes paraissaient sinon heureuses, du moins paisibles. Inlassablement je tentais de me raisonner. Je me prêchais la patience, je tendais de toutes mes forces vers cette résignation bienheureuse que je ne parvenais jamais à atteindre vraiment.

La vie n'aidait pas. Le code Napoléon était alors en pleine vigueur. J'avais la charge de six personnes et ne pouvais ouvrir un compte en banque, mon mari devait l'ouvrir pour moi. Lorsque j'envoyais mes enfants en Angleterre au moment des vacances, seul mon mari pouvait signer l'autorisation de sortie de territoire. La Puissance paternelle s'exerçait dans toute sa splendeur et me faisait souffrir. La contraception était une affaire d'homme prudent et tous ne l'étaient pas. Par contre, l'avortement clandestin demeurait une affaire de femmes... « Sans faire figure de martyre » comme disait Fernand Nathan, il fallait avoir recours à d'obscurs bricoleurs en rupture d'Ordre... Il fallait accepter tout cela, renoncer, être ostensiblement heureuse...

J'ai découvert plus tard que le bonheur ne se trouve jamais dans le renoncement mais dans l'accomplissement de soi-même et qu'il y a une sorte d'honneur à être heureux en se réalisant. On doit bien cela à ses proches, en particulier à ses enfants.

Le rôle de l'homme semblait vraiment être de tout attendre de la femme. D'accepter tous les dons, avec d'autant plus d'aisance d'ailleurs que la femme bien au point ne devait même pas lui permettre de s'en apercevoir. A lui l'incomparable droit à la fatigue, à la mauvaise humeur. A elle le saint privilège des joyeux renoncements.

« Est-ce ma faute à moi, disait aimablement mon mari, lorsqu'il m'arrivait de contester ce programme, est-ce ma faute si tu as un trou entre les jambes ? » Lui aussi croyait à la prédestination de la femme et ne comprenait rien à mes timides rébellions. Il avait lu Freud et ne voyait là qu'une manifestation discrète de la traditionnelle envie du pénis. En fait, je crois bien que j'étais dévouée. Je voulais réussir ma famille et ma vie, ou plutôt leur vie. Longtemps je me suis efforcée de m'en tenir à la ligne de conduite précédemment décrite. La plupart des femmes doivent faire de même avant de comprendre au bout de dix ou quinze ans d'efforts surhumains qu'elles font fausse route... Je ne voyais plus les amis qui déplaisaient à mon mari. Nous n'écoutions plus que ses disques et ne voyions que les spectacles qu'il aimait. Je faisais ce qu'il voulait, je portais les robes qu'il préférait et ne cuisinais plus que ses plats favoris. Il ne s'en apercevait guère car ma mère avait, semble-t-il, réussi mon éducation.

J'étais mariée et cela semblait devoir durer toujours. Je ne demandais qu'à servir au mieux l'homme que j'aimais et les enfants qui nous étaient nés. Mais je n'acceptais que difficilement l'inévitable autodestruction à laquelle aboutissait cette belle éducation.

C'est en observant mes enfants que j'ai commencé à comprendre. Mon fils Philippe était, et est toujours, un très gentil garçon. Il voulait aider, se rendre utile. Les filles et lui débarrassaient la table. Je faisais la vaisselle et les uns ou les autres essuyaient. Mon mari fumait sa pipe dans le fauteuil le plus confortable de la maison, tout comme le montre la télévision. Il disait souvent, sans y voir malice :

— Pourquoi fais-tu desservir par Philippe? N'a-t-il pas trois sœurs?

Il avait trois sœurs. Ce genre de réflexion leur faisait prendre la vaisselle en grippe. Philippe, toujours solidaire, se sentait gêné et ne savait quelle attitude adopter. Les filles faisaient n'importe quoi pour échapper à la corvée, à l'injustice. Je les comprenais tous. Toutefois, je ne souhaitais pas que, dans l'avenir Philippe aille s'asseoir dans un fauteuil pendant que les femmes de son entourage achèveraient aussi médiocrement la journée. Je ne souhaitais pas non plus que les filles cessent un jour de se rebiffer sainement contre ce régime de caste... La vaisselle, cette nécessité sans intérêt qui peut être faite indifféremment par n'importe qui à n'importe quel moment, prenait alors un relief regrettable. Mon mari souffrait de mon attitude et ne comprenait pas la forme d'éducation que je donnais ainsi à mes filles.

— Plus tard, disait-il, il faudra bien...

Justement! Je ne me résignais pas non plus à ce que ce genre de chose se prolonge dans la génération suivante. Je n'avais pas mis au monde les trois quarts de ma progéniture pour en faire des esclaves effacées alors que le quart mâle qui logiquement aurait dû avoir l'étoffe d'un tyran montrait d'aussi bonnes dispositions...

C'est mon fils qui, je crois, est responsable de ma prise de conscience. A travers ses attitudes d'enfant affectueux j'ai compris que, de même que la femme ne ressemble guère à l'idée que s'en fait l'homme, l'homme n'est que rarement conforme à l'image qu'il donne de lui à la femme...

Parfois cependant, il me vient des doutes. J'observe mes deux plus jeunes filles. Je les regarde vivre, se débattre, chercher du travail, payer leur loyer, organiser leurs vacances ou, le plus souvent, s'en priver... Je les regarde prévoir leurs achats et leurs sorties, inviter leurs amis à dîner, pester contre le percepteur tout comme des adultes chevronnés. Je les regarde rire, découvrir la vie, la maîtriser, refuser mon aide, prendre leurs responsabilités. Je ne leur ai pas appris à renoncer mais plutôt à observer, à faire face, à former leur propre jugement, si nécessaire à se battre. J'ai tenté de leur apprendre l'équilibre, la maturité rayonnante.

Mimosa dans le temps raflait tous les prix d'honneur. J'avais la joie unique d'avoir ma place réservée sur l'estrade, auprès de monsieur le maire, de madame la directrice, des notables et des autres parents privilégiés. J'achetais pour l'occasion une robe neuve et je sortais mes gants blancs. L'été commençait ainsi, illuminé par le brillant palmarès de ma plus jeune fille. Immanquablement, tout le monde me disait : « Comme son père doit être fier... » Il l'était bien sûr, et je l'étais aussi, mais cela semblait moins important. Il était fier mais il attendait néanmoins de moi que j'enseigne à notre Mimosa, travailleuse charmante et bien douée, tout cet effacement, cette résignation, ce service ménager, cette féminitude... Je n'ai pas eu ce courage et j'ai prêché l'indépendance, la liberté et le travail efficace et bien fait, ce qui n'exclut ni le sacrifice, ni la générosité.

Zaza avait aussi des dispositions naturelles. Dès son plus jeune âge elle se levait avant tout le monde, prenait des initiatives, débordait d'énergie, d'affection, de savoir-faire et d'imagination. Sa bonté lui venait d'elle-même et non de mes sermons. S'il avait fallu qu'elle soit dressée à la servitude et au renoncement il ne serait plus resté d'elle qu'un petit reflet insatisfait et tourmenté, cherchant toujours à donner davantage, à renoncer plus avant... Une petite femme masochiste comme il y en a tant, attendant le Seigneur et Maître parfait, dont les exigences et le sadisme complémentaires sauraient lui donner le sentiment du devoir accompli. J'ai refusé ce schéma.

Aujourd'hui, mes filles sont libres, conscientes, indépendantes, confiantes aussi... Leur anxiété est raisonnablement proche du niveau zéro. J'ai simplement essayé de leur faire comprendre que notre premier devoir se situait plutôt dans le respect de nous-mêmes que dans le sacrifice à tout prix. J'ai développé la théorie selon laquelle une femme accomplie est plus utile à un homme, à une famille et à la société qu'une petite compagne résignée, momentanément tentée par l'auréole, et qui ne peut manquer tôt ou tard de se rebiffer. J'ai ajouté qu'il y avait un certain courage à vivre cela. La société, les familles, les hommes y sont généralement mal préparés et voient dans nos réactions d'autodéfense une marque d'agressivité. Il m'a semblé utile parfois de leur rappeler Claude Aveline [1]. « Si tu acceptes de vivre courbée en deux, quelle belle cible que ton derrière » car, même lorsqu'on pisse accroupi, on peut toujours essayer de vivre debout.

Oui, j'observe mes filles. Je les trouve belles et bonnes, organisées, merveilleuses. Je voudrais qu'elles réussissent leur vie, je les aime.

Mais la panique me saisit lorsqu'il m'arrive comme aujourd'hui de bavarder un moment avec un de leurs contemporains... un garçon de vingt et un ans qui m'a déclaré ce matin :

— Oui, mais le travail d'une femme, c'est un lourd handicap pour le couple...

« Le couple », c'est un concept dangereux et récent que l'on brandit à tout venant. Les gens les plus évolués se laissent séduire et la bonne conscience masculine y trouve largement son compte. « Quand on se marie, on ne fait plus qu'un, disait Sacha Guitry, oui mais lequel? » C'est au couple à présent que l'on va gaiement sacrifier l'autonomie de la femme si nous n'y

1. Claude Aveline, *l'Empreinte du feu.*

prenons garde. On cherche à nous convaincre qu'il est plus noble de renoncer, de disparaître, pour une idée que pour un homme... Alors, encore une fois, j'alerte mes filles : « Méfiez-vous : disparaître, c'est disparaître. La guerre est ignoble, l'esclavage est honteux, la mort est irrémédiable et les héros, de près, sont bien souvent ridicules. Essayez de ne pas choisir l'héroïsme discret, même pour former un couple... » Je crie à mes filles : « Vivez... Si vous jugez un jour utile de disparaître, assurez-vous que la cause ou que le chef en valent vraiment la peine... »

Mon jeune interlocuteur insiste et me confie sa dernière réflexion :

— Si ma future femme travaille, je me sentirai totalement émasculé...

Rien que ça! vingt et un ans aux dernières fraises... Et bon pour la castration si j'ai bien jugé sa petite fiancée. Je croyais que seuls les hommes de la génération précédente prenaient si mal les choses. Il semble que ce soit général, si bien qu'il ne nous reste qu'une assez triste alternative : ou nous les castrons tous, ou nous choisissons l'inévitable suicide dans la résignation. De toute façon, nous sommes coincées.

Alors, lorsque je pense à mes filles, je me demande quels gendres elles pourront bien me choisir, avec l'éducation que j'ai tenté de leur donner. Je me demande quels hommes les accepteront telles qu'elles sont : sensées, averties, solidaires plutôt que victimes... Je me demande si je n'aurais pas dû relire Fernand Nathan avec plus d'attention!

***

Philippe, mon cher ami, il y a bien longtemps que je ne vous ai vu. J'ai des courses à faire dans votre quartier et, en cherchant un endroit pour y stationner, il me vient un instant d'attendrissement à votre profit. Je me remémore les dimanches matin du boulevard de Reuilly lorsque devant une grande cafetière fumante et une montagne de croissants chauds nous étions quelques-uns à refaire le monde... Vous étiez jeune, curieux, ardent, agité, fatigant, saccadé, charmeur, toujours en éveil. Vous posiez des questions, absorbiez les réponses, souleviez des arguments et entreteniez l'animation au sein de notre groupe.

Autant vous l'avouer à présent, j'étais toujours fort irritée par les comparaisons que vous ne manquiez pas d'établir entre ce que je disais et ce que pensait Madame votre Mère, entre ce que je faisais et ce qu'elle s'abstenait de faire. En effet, Madame votre Mère et moi n'avions strictement rien en commun, hormis l'affection que nous vous portions l'une et l'autre.

Un jour, souvenez-vous, nous nous en sommes expliqués. Madame Mère se sentait victime, sacrifiée, exploitée. Je me sentais pionnier, responsable, adulte, ancêtre même. Les mots qui me viennent sous la plume vont vous faire sourire, je le sais. Ils n'ont pas de forme féminine... Je vous expliquais à loisir qu'à mon avis, Madame Mère devrait réagir, sortir du rôle de l'esclave, vivre à sa manière, prendre un emploi, que sais-je...

— De toute façon, avez-vous dit, les femmes n'ont pas de chance. Elles sont brimées tout au long de la vie... Il vaut mieux être un homme!

— Un homme? Mille fois non.

Je vous ai ressorti alors les vieilles théories d'Ashley Montagu [1] selon lesquelles, tout au long de la vie, la femme est plus solide que l'homme. La preuve : la mortalité infantile plus faible, la puberté plus précoce, l'espérance de vie plus longue, etc. Théories contestées de bien des manières depuis vingt ans mais qui, à ma connaissance, n'ont jamais été irréfutablement démolies. Ce verbiage vous ahurissait, mais le sujet me tenait à cœur. Madame Mère se plaignait, mais ne discutait pas, en tout cas pas avec vous. A l'entendre, ses enfants qu'elle maternait au-delà de toute décence lui avaient coupé les ailes...

1. Ashley Montagu. *Natural superiority of women.*

— Tout de même, disiez-vous... Même si les femmes sont solides, mettre des enfants au monde, ce n'est pas drôle... et les élever...

— Mettre des enfants au monde, c'est un merveilleux privilège. Pénible certes, mais quelle plénitude, quelle joie, quel miracle, quel épanouissement... Faire des enfants, les nourrir de soi, les réchauffer, les dorloter, leur apprendre à sourire, à jouer, à aimer, à vivre, et de surcroît pouvoir offrir tout cela à l'homme que l'on aime, quoi de plus vrai, de plus satisfaisant?

Vous ai-je convaincu ce matin-là? Peut-être bien car vous m'avez alors demandé, incrédule :

— En somme, être femme, ça ne vous gêne pas?

— Non, au contraire...

— Ma parole, on dirait que vous êtes heureuse...

— Philippe, mon petit vieux, je crois bien que je le suis...

A ce moment-là, sur votre visage, j'ai vu se peindre un sentiment d'intense stupéfaction. Vous, petit mâle en pleine maturation, ne parveniez pas à me croire. Naturellement, je n'allais pas préciser qu'étant heureuse en tant que femme j'éprouvais tout de même un peu de désarroi à survivre en tant que femme seule. Il ne s'agissait là que du problème universel de la solitude et vous le découvririez toujours bien assez tôt.

Vous avez fini par admettre que je ne changerais pas ma condition pour la vôtre ni pour celle d'aucun autre homme de ma connaissance. Ce jour-là, j'ai pris conscience que nul homme ne croit vraiment à l'épanouissement d'une femme à moins qu'il n'y participe. Ce jour-là, vous, vous avez cessé de me prendre pour votre mère et nous sommes enfin devenus amis.

Ayant plus ou moins bien garé ma voiture, je décide soudain de monter vous dire bonjour. La journée s'achève. La grande migration de la soirée est en cours sous vos fenêtres. Je parviens essoufflée à votre quatrième étage et je sonne. Aussitôt d'ailleurs, je le regrette car je détecte dans les profondeurs de votre appartement des bruits de musique et de nombreuses voix. Mars en carême, c'est moi ! Il est évident que je vais débarquer au milieu de vos amis comme une vieille taty de province qui tiendrait à vous apporter elle-même ses confitures de rhubarbe à l'ancienne. Ne craignez-vous pas que je vous embarrasse? Il semble que vous me fassiez confiance puisque vous m'invitez à entrer et à rejoindre le groupe qui anime votre salon...

Cette confiance, elle me touche bêtement. Comme je le supposais, vos amis sont des intransigeants : la jeune Pub, la jeune musique Pop ou le Rock n'Roll nostalgique, la jeune n'importe quoi qui crée, lance les modes ou les relance, se fait connaître bruyamment et deviendra demain, pour un temps, l'avant-garde académique officielle.

Ce n'est pas un milieu particulièrement facile à conquérir pour un pauvre cadre moyen de province, et femme de surcroît. Le Tout-Paris de la génération montante me fait subir l'inévitable examen de passage qui permettra de me situer. Heureusement que mes filles et vous-même mon cher, m'avez depuis longtemps formée. Je montre patte blanche, je me soumets aux épreuves, je passe l'examen avec succès semble-t-il. Oui, je sais ce que fait Bob Lawrie, l'illustrateur en vogue. Naturellement, j'ai repéré les deux Parnell dans le dernier numéro de Marie-France. Bien sûr, je reconnais Sparks sur votre stéréo. Néanmoins, comme il faut bien s'affirmer un peu, j'annonce que je préfère Gangloff à tous les talents du siècle et qu'en dépit des tendances nouvelles, mon âge m'autorise à rester fidèle au Pink Floyd. On rit. On me tolère gentiment. On me passe un verre de whisky.

Nathalie soudain me repère. Nous nous sommes rencontrées plusicurs fois déjà, ici ou là. C'est une sorte de Marilyn Monroe moins pulpeuse mais tout aussi star, tout aussi faussement bête, tout aussi femelle, presque jusqu'au ridicule. Elle ne résiste pas au plaisir de me faire une fois de plus son numéro...

— Comment allez-vous ma chère? dit-elle en m'embrassant et en agitant sous mon nez, Dieu sait pourquoi, sa poitrine d'adolescente attardée.

— Très bien merci, et vous?

Question imprudente entre toutes... Elle n'attend que ça pour tout déballer...

— Je suis ennuyée... Ma pilule, moi, je la supporte vraiment très mal... Pourtant j'en ai changé... Mais ça me donne des vertiges, des vapeurs, et ça me fait gonfler les jambes... En plus, je grossis... Sept cents grammes ce mois-ci, vous vous rendez compte! Affreux... D'ailleurs, je crois que j'ai une petite varice là, au mollet gauche...

Elle remonte un peu sa jupe, me montre un mollet sain, bien musclé, un peu allongé, sans le moindre relief suspect...

... Zut, reprend-elle, mon collant est filé... Vous savez, Jean-Loup dit... Jean-Loup, c'est son petit ami, une sorte d'armoire à glace amateur de grosses motos et vêtu de cuir noir, l'intégral toujours à portée de la main, même au milieu d'un salon.

Nathalie continue son ronron comme une concierge bavarde... Elle sort son miroir, rectifie son maquillage et passe à l'information suivante :

— Nous avons loué un nouvel appartement. Jean-Loup a passé tout son week-end à poser des joints anti-bruits, pauvre chat! Mais le loyer est cher et en ce moment je ne travaille pas, alors ça va être dur... Je me fais une de ces biles... Quoique Jean-Loup se débrouille toujours si bien avec ses photos... D'ailleurs, j'ai vendu ma voiture, la moto nous suffit, ... la mécanique et moi, vous savez...

Elle rit...

— Vous n'êtes plus à la Ripopée?

— Non, le spectacle est terminé. Je n'ai pas d'engagements pour l'instant.

La Ripopée, c'est une boîte de nuit où Nathalie faisait l'an dernier un numéro de strip-tease burlesque assez réussi, et chantait un peu de sa belle voix-sexe...

Elle continue ainsi à me raconter sa vie en me servant absolument tout ce qu'une petite jeune femme moderne, un peu naïve, un peu dans le vent, un peu libérée, un peu sans défense, un peu amoureuse aussi est supposée raconter. Ses vêtements confirment le portrait qu'elle veut donner d'elle-même. Un portrait, ce n'est peut-être pas le mot juste. Ce que Nathalie m'offre en cet instant, c'est à mon point de vue, une caricature insupportable de ce que doit être une femme pour plaire à un homme de type traditionnel. Elle exagère ses malaises, ses diverses impuissances, ses petites bêtises, ses mines charmantes, les inflexions séduisantes de sa voix. Je m'attends à tout instant à la voir sauter sur la table en poussant de petits cris et en serrant ses jupes autour de ses genoux comme dans les dessins humoristiques, lorsqu'une souris vient à traverser le tapis... Et dans vingt ans, je ne pourrai l'imaginer qu'embusquée derrière la porte le rouleau à pâtisserie à la main, si elle continue à se conformer à l'image de marque généralement répandue... Elle en rajoute vraiment! Jean-Loup, il est vrai, la contemple avec un regard de tendresse admirative qui ressemble bien à l'amour. Moi, je ne bronche pas, j'observe, j'encaisse.

« Être un homme, dit Malraux, c'est réduire la part de comédie [1]. » Est-ce à dire qu'être une femme c'est mettre de la comédie partout? Je serais tentée de le croire si je n'étais pas avertie des dessous de cette affaire.

— C'est pas drôle, dit Nathalie, la vie d'une femme.

— Vous trouvez?

— J'ai vu Bidou l'autre jour. Il est vraiment mignon...

Évoquer Bidou, mon petit-fils, me fait toujours fondre le cœur. J'écoute Nathalie avec une sympathie nouvelle.

— Il est adorable, reprend-elle... La seule chose

1. Malraux cité par Jean Daniel. *Le temps qui reste*, Seuil.

qui me fasse vraiment souffrir, c'est que je ne pourrai jamais avoir d'enfants...

Nous y voilà. Comme une bonne petite femme, Nathalie fond en larmes à cette évocation. Ça ne m'agace plus, je sais à quel point elle est sincère à présent. Son rimmel se met à couler et Jean-Loup gentiment l'entraîne vers la salle de bains.

Ce n'est pas drôle, la vie d'une femme a-t-elle dit! La vie d'un homme est-elle plus agréable? Mon amie Nathalie est un homosexuel travesti, un transexuel, un mutant, un homme enfin, bourré de problèmes, de gentillesse, de talent et d'hormones et qui ne fera jamais d'enfants. Elle a pourtant presque réussi sa transmutation à ce détail près : Bidou lui tire des larmes. Incapable de la réconforter, j'ai soudain honte de m'être sentie parfois irritée par son agressive féminité. Je respecte quiconque cherche à sortir d'une condition qui ne le satisfait pas entièrement, fût-ce par la comédie, fût-ce par l'imagination, et à plus forte raison si c'est sans espoir. Je hais la résignation.

« On ne naît pas femme, on le devient. » Simone de Beauvoir a toujours raison.

Le métro parisien. Samedi matin, onze heures

vingt. Je n'ai pas de place assise. Je m'adosse à la porte du fond et je fais tranquillement connaissance avec les personnages, mes covoyageurs.

Ils sont un peu gris, un peu désabusés. Ce ne sont pas les mêmes que ceux que l'on rencontre aux heures de pointe. Des vieilles dames, cabas à la main, suivent d'obscurs itinéraires... Quelques Noirs, Portugais, Nord-Africains, adolescents. La population des sans voiture. Je les regarde sans curiosité particulière en essayant d'imaginer quelle peut être leur vie. J'en suis là de mes réflexions vagues lorsque la fille monte. Elle porte une robe longue de coton fleuri, une sorte de foulard noué à la corsaire, un maquillage qui, sans être agressif, n'en est pas moins différent de ce qu'exige la mode actuelle. Elle porte des tas de colliers. Je n'arrive pas à la situer. Pas vraiment hippie en tout cas. Trop de recherche. Plutôt intellectuelle. Rive gauche contemporaine, probablement. Détail piquant : elle est enceinte jusqu'aux dents!

Aux places numérotées, des fesses anonymes s'agitent discrètement. La conscience collective du wagon s'éveille et chacun se répète : « Il faudrait donner un siège à cette petite... » Une dame effacée, dans un imperméable sans couleur bien définie décide qu'elle est assez âgée pour n'avoir pas à se lever. Elle prend le parti de fixer intensivement un militaire installé en face d'elle.

Il est adjudant, ou sergent, à moins qu'il ne soit élève-officier ou peut-être même sous-lieutenant... En tout cas, c'est un jeune militaire tiré à quatre épingles, qui se tient droit, les cheveux honteusement courts, le regard clair cherchant avec un peu trop d'insistance la fameuse ligne bleue des Vosges. Le genre de garçon blond et trop sain que, curieusement, beaucoup de pères aimeraient avoir pour fils. La petite dame, elle, a vécu 14, on le sent bien. Elle compte encore sur notre belle armée française pour nous tirer de tous les mauvais pas. Elle sait que le soldat français défendra toujours la veuve et l'orphelin. Dans le cas présent, elle pense très fort que notre jeune homme aseptisé devrait céder sa place à la jeune femme. Il perçoit, je crois, le message. Il prend ses gants qu'il a installés l'un près de l'autre sur son attaché-case posé par terre dans le couloir. Il s'apprête à se lever.

A cette minute même la jeune femme fait un geste. Elle sort d'un grand fourre-tout de toile un petit journal assez mal imprimé qu'elle déploie ostensiblement. Le titre, sur plusieurs colonnes, gifle dans le wagon tous ceux qui savent lire. Il proclame en effet textuellement « LE CON, C'EST BON [1] »...

Le « con », « membre viril de la femme »

1. *Le Torchon Brûle*, nº 3. Organe menstruel du M.L.F.

comme le définissait dans son rapport je ne sais plus quel gendarme bien de chez nous, n'a pas droit de cité en littérature, et moins encore dans la presse. Quant au métro, n'en parlons pas.

Le militaire se rassied fermement, repose l'attaché-case, remet ses deux gants à leur place première et redresse martialement sa colonne vertébrale le long de la banquette de bois. Son attitude en dit long sur sa façon de penser. Une énorme vague de désapprobation chargée d'hostilité, voire de haine, déferle sur le wagon. On devine la réflexion : « Ma fille, puisque c'est comme ça, tu peux bien rester debout. » La petite dame grise ne doit guère y voir. Elle n'y comprend rien. Elle renonce, peinée.

Ce happening totalement silencieux m'amuse et m'attriste à la fois. Il y a trop longtemps que nous autres femmes tendons l'échine pour que nous n'ayons pas parfois envie de faire montre d'un peu d'agressivité. Cette agressivité-là, naïve, maladroite, qui se contente de choquer le Bourgeois au fond du métro parisien reste bien inoffensive. Tout un wagon pourtant la reçoit comme un seul homme, mal, très mal. J'en suis frigorifiée.

Imaginons un instant que ce soit un homme là, à la place de la jeune femme... Il n'est même pas nécessaire de le supposer « enceinte » comme l'avait si drôlement fait il y a quelques années une affiche du planning familial britannique... Poussons l'absurde jusqu'à lui faire déplier un petit journal parallèle intitulé « LE PÉNIS, C'EST EXQUIS »... Comment aurait réagi notre vertueux wagon? Je m'avance sans doute, mais je crois sincèrement que nous n'aurions eu droit qu'à quelques haussements d'épaules plutôt amusés.

Il n'y a pas que les salaires. C'est partout pareil. Deux poids, deux mesures...

Tant pis, j'y vais...

Je prends mon courage à deux mains et je descends au sous-sol. C'est un peu à droite en sortant de l'ascenseur, tout au fond. Je le sais parce que j'y suis déjà venue.

La première fois, je me suis contentée de regarder, l'air de passer là « par hasard ». De loin, comme ça, comme si j'avais une heure à perdre et que j'aie choisi de la passer au rayon « outillage » d'un grand magasin parisien. Les grands fauves me frôlaient, l'air indulgent, un peu surpris. Les femmes sont plutôt rares en ces endroits. Si je m'approchais d'un comptoir, ils élevaient inévitablement la voix et posaient au vendeur des questions supposées pertinentes :

— Avec quoi me conseillez-vous de maroufler?

— Et dans ces cas-là, est-ce que la barbotine ne devient pas trop épaisse?

Rien de neuf sous le soleil... Toujours leur fameux numéro du technicien averti... Je prenais l'air admiratif du profane qui vient d'être autorisé à jeter un coup d'œil sur le saint des saints. Pendant ce temps-là, en ménagère avisée, j'écoutais, je notais les prix, j'essayais de comprendre les différences entre des matériels qui me paraissaient semblables et dont les prix variaient du simple au triple.

Oserais-je l'avouer? J'avais décidé de m'offrir une perceuse.

Je vous vois sourire. La perceuse, quel superbe substitut du phallus! Songez un peu : le phallus à deux vitesses, à double isolation incorporée et, même, à percussion... Le phallus avec bouton de blocage, le phallus transformable en scie, en ponçeuse, en meuleuse, tournant à deux mille cinq cents tours minute, et percutant à trente-neuf mille coups!

Lorsque les perceuses sont devenues accessibles au bricoleur moyen, il y a une dizaine d'années, j'ai vu tous mes amis se précipiter à l'assaut des divers modèles. Eux qui avaient horreur de nous poser nos étagères, se sentaient soudain pleins de bonne volonté. La chignole à la main, ils troueraient désormais nos murs de béton avec autant de joie et de facilité qu'un fromager suisse enfonçant sa sonde dans un gruyère juste à point. Nos hommes échangeaient des recettes pour mieux utiliser le précieux gadget. Ils comparaient les prix et les performances tout comme ils le faisaient pour leurs voitures ou pour leurs chaînes stéréo. Quelque chose venait de changer. La perceuse, c'était la virilité réaffirmée. Tout était possible désormais.

Je ne suis pas analyste, mais il me semble que quelque compensation d'ordre sexuel se cachait sous cet engouement.

Ces réflexions devraient-elles m'inciter à renoncer à un tel achat? Je viens de déménager. J'ai bien quelques amis dévoués, un gentil gendre et un fils plus serviable encore, mais la perspective d'ennuyer tout le monde avec mon installation ne me sourit guère. Alors j'ai ressorti le vieux tamponnoir que je parviens à manipuler avec une certaine dextérité et j'ai commencé à cogner. J'ai accroché les tringles à rideau, les miroirs et quelques autres décorations murales. Mais, si je ne perds pas mes forces en vieillissant, c'est que le béton est plus dur d'année en année... Conclusion? Au diable les implications, au diable les quolibets. C'est une chignole qu'il me faut, et le plus tôt sera le mieux.

Troquant le catalogue de *La Redoute* pour le catalogue *Facom,* et les *3 Suisses* pour les *Forges de Vulcain,* j'ai, au long de soirées entières, largement étudié la question. J'ai fini par comprendre pas mal de choses, mais aucune information écrite ne m'a éclairée sur un certain nombre de mystères. Je suis donc retournée au magasin.

Au premier vendeur disponible, j'ai posé ma question :

— Quelle est la différence entre un mandrin à clé et un mandrin à crémaillère avec clé?

— Ben... C'est à quel sujet?

— Au sujet des perceuses...

— Ah oui, je vois. Nous avons des modèles très bien, m'annonce-t-il comme si nous étions au rayon des maillots de bain. Il a failli dire « très chic ».

— Je vois. Mais je voudrais savoir quel est l'avantage du mandrin à crémaillère avec clé par rapport au simple mandrin à clé...

— C'est plus cher, répond-il brillamment...

— C'est pourquoi je vous pose la question...

Il tente une échappatoire :

— C'est pour un cadeau?

Si j'avais du courage je lui répondrais « non ». Hélas, je ne suis qu'une faible femme, je n'ose pas avouer ma turpitude. Les arguments me manquent. Je ne réponds rien. Je choisis la fuite. Je m'éloigne en disant bêtement :

— Je vais réfléchir.

C'est parfaitement idiot. Intérieurement je me fais la leçon sans la moindre indulgence en me forçant à m'écouter jusqu'au bout. Pourquoi une femme organisée ne pourrait-elle pas utiliser ses économies pour acheter une chignole à percussion si elle en a vraiment besoin? Il me faut un réconfort. J'ai envie d'aller mendier un thé chez ma fille Françoise qui habite tout près. Peut-être pourrai-je la persuader de m'accompagner... A deux, on est toujours plus fort. Non c'est ridicule! J'irai voir Françoise après. Comme une récompense en somme. De toute façon, quels que soient les avantages du mandrin à crémaillère avec clé, je suis décidée. Je vais prendre le modèle le moins cher, avec mandrin universel. Pour installer les étagères de ma bibliothèque, ce sera bien suffisant.

Je retourne au rayon « perceuses ». Le vendeur me reconnaît.

— Vous avez réfléchi?

— Oui, je vais prendre celle-là.

— Vous avez raison, madame. Pour un prix modique, elle est compacte et finalement assez légère et très maniable. Je vous garantis que monsieur sera satisfait.

Naturellement, cet a priori m'agace.

— Ce n'est pas pour monsieur, dis-je, libérée, c'est pour moi.

— Je vois. (Il rit.) Voulez-vous me suivre à la caisse? Moi aussi, quand j'en ai eu assez de boire du Nescafé le matin, je me suis acheté une cafetière. Maintenant, personne ne fait mieux le café que ma femme. Vous avez raison. Il faut toujours procéder avec tact et délicatesse.

Écœurée, je suis allée faire la queue à la caisse. Au moment de payer, mon vendeur s'est à nouveau manifesté. Aimablement, il m'avait fait un superbe emballage cadeau. Je l'aurais bouffé.

***

Me voici chez Françoise. En poussant la porte de sa boutique, je sens qu'il y règne une atmosphère tendue. Ma fille est en grande conversation avec un client. Depuis plus de vingt-trois ans que nous nous fréquentons assidûment je sais flairer ses humeurs comme elle devine les miennes. Il est évident que sa politesse, aujourd'hui, est formelle, excessive, et glacée. Je me fais oublier dans un coin. J'essaye de suivre, de comprendre ce qui se passe.

Le client veut vendre deux guitares. Elles sont énormes et extraordinairement décorées.

– Recomptez vous-même, dit Françoise. Je ne vois pas trente-deux essences de bois dans la marqueterie, mais seulement dix-huit, ce qui n'est déjà pas mal...

— Oui mais tout de même, le prix que vous m'en proposez est bien bas, je préférerais voir ça avec votre mari...

— Mon mari va rentrer d'une minute à l'autre. Il vous donnera la même estimation que moi. L'une des guitares est assez abîmée. Ce genre de restauration coûte cher. Ces instruments sont de facture assez moderne. Ils ont été fabriqués par de bons ébénistes mais certainement pas par des luthiers. Le son s'en ressent. En outre, il peut se passer pas mal de temps avant que nous trouvions l'amateur éclairé qui souhaitera enrichir sa collection de ces deux chefs-d'œuvre.

— ...

— Songez donc! Deux guitares enluminées d'un superbe travail de marqueterie à la manière du XIXe siècle : sur la première, l'entrée de la Santa Maria dans le port de Saint-Domingue, avec le portrait de Christophe Colomb en médaillon, et sur l'autre une allégorie intitulée « France mère des Arts, des Armes et des Lois », ça ne se vend pas tous les jours...

— Chère petite madame... si la jolie luthière veut bien m'y autoriser je préfère tout de même attendre le retour du Maître...

Content de son rond de jambe galant, il allume une cigarette et se campe dans la position du client qui n'en démordra pas, parfaitement inconscient, le pauvre, de la tempête qu'il vient de déchaîner à travers le tempérament assez fougueux de ma fille.

Au diable les lois éternelles du petit commerce! Le client n'a plus tellement raison. Françoise éclate et le lui fait savoir :

— Je ne suis pas seulement luthière, c'est-à-dire femme de luthier, mais luthier moi-même, autrement dit facteur d'instruments à cordes...

— Pardon? fait le client surpris.

— Mais oui, c'est comme pour un général... Sa femme est madame la générale tant qu'elle n'est que son épouse. Mais qu'on lui confie la charge d'une division, c'est elle-même qui est général, quoi que vous en pensiez... Consultez votre Capelovici...

— Excusez-moi mais avouez que le cas est rare aussi bien pour le général que pour le luthier...

— C'est vrai, dit Françoise radoucie...

Daniel mon gendre, le joyeux luthier, intervient au milieu de ces considérations grammatico-sociales. Il ausculte les instruments puis fait, à peu près mot pour mot, les mêmes commentaires que Françoise. Le prix qu'il propose est toutefois plus bas et le client se prend visiblement à regretter de n'avoir pas traité avec le luthier en jupons.

***

— Si vous vous obstinez dans l'anecdote, m'assure Gabrielle, le message ne passera pas.

— Le message?

— Oui, le message... Enfin, ce que vous avez à dire... Vous me comprenez.

— Message est un bien grand mot. Je me suis mise à écrire ce livre parce que certaines choses m'amusent, d'autres me préoccupent, ou m'agacent, en tant que femme. Il se peut bien qu'ailleurs, d'autres femmes, éprouvent les mêmes sentiments et qu'elles sourient en me lisant. C'est tout.

— Mais tout de même, vous ne nierez pas qu'il y ait un problème de la femme, une « condition féminine ». Quoi? Vous n'en êtes pas convaincue?

— Je n'ai pas dit ça, Gabrielle, mais je suis toujours gênée de m'exprimer seulement en tant que femme. Je voudrais pouvoir le faire plus complètement, en tant qu'être humain. Rien ne me prouve que ce qui m'est intolérable en ce moment, en tant que femme, n'est pas contrebalancé, dans la vie des hommes, par autant de contraintes difficilement acceptables.

— Ça se saurait. Ils ne manquent pas de moyens pour communiquer leurs points de vue.

— Peut-être qu'ils ne le savent pas eux-mêmes, et qu'ils finiront par se réveiller, tous ceux qui sont coincés par des familles à haute consommation, ceux qui se sentent abusés par les fausses responsabilités qu'on leur délègue au compte-gouttes, ceux que le divorce prive de leurs enfants, ceux qui viennent à peine de repérer que les syndicats sont plus soucieux de leur propre gloire que du bien-être véritable de leurs adhérents, ceux qui préféreraient du temps pour vivre plutôt que des réajustements de salaires, ceux qui, de plus en plus nombreux, vont préférer l'amour à l'autorité, et l'influence tranquille aux honneurs et aux dignités.

— Ma parole, vous justifiez l'oppression qu'ils nous infligent !

— Évidemment non, mais je les crois aussi opprimés que nous, pour d'autres raisons.

— Les mâles français, opprimés ?

— Opprimés, conditionnés, appelez ça comme vous voudrez. Franchement Gabrielle, je nous trouve pour la plupart engagés dans une forme d'esclavage qui, si elle prend divers visages, n'en est pas moins commune à tous.

— Il n'en reste pas moins vrai que le sort des femmes est à un tournant, vous le savez comme moi. Vous n'avez pas le droit de vous cantonner dans l'anecdote...

Elle ne dit pas « l'issue du combat en dépend », mais je sais qu'elle le pense.

— Qu'attendez-vous de moi, que je fasse une nouvelle version du *Deuxième Sexe* ? Ce n'est pas mon genre...

Elle est agrégée de lettres, Gabrielle. Elle croit

à la thèse, à la grande compilation quasi touristique de documents hermétiques, aux renvois superbes, en bas de page. Elle a appris « à faire marcher la petite machine [1] », c'est-à-dire à s'exprimer comme un homme, et plus exactement comme un universitaire. Moi aussi je sais maîtriser la petite mécanique, à la manière de mes collègues masculins. Seulement je ne me crois pas obligée de le faire vingt-quatre heures sur vingt-quatre. Je n'ai pas laissé à l'université le temps de me conditionner et j'appartiens à présent à ce que Galbraith et Edgar Faure appellent « la Technostructure ». Ce qui m'intéresse, ce sont les détails, les mécanismes, les engrenages, les techniques, le tout clairement expliqué, à la Malherbe, pour la plus grande édification des crocheteurs du Port-au-Foin si toutefois il nous en reste. Le langage est la toute première de ces techniques. Je tente d'en convaincre Gabrielle qui souffre de la démangeaison de l'écrivain et bloque devant la feuille blanche tant elle recherche la perfection, tant elle craint la critique. Le bouquin universitaire, c'est à elle de l'écrire, pas à moi.

— Vous avez peut-être raison, dit-elle tristement.

Mais elle n'en est pas véritablement convaincue. Tant pis. Tant mieux car elle serait capable

1. Expression utilisée par Françoise Collin.

de faire plus vite et mieux que moi un livre bien meilleur.

*
* *

Je n'écrirai pas *le Nouveau Deuxième Sexe.* En tout cas, pas ce soir. Jacques vient de s'inviter à dîner avec Monique et les enfants. Comme ça, un mercredi soir, en plein milieu de la semaine. Ça lui arrive quelquefois.

Jacques et Monique sont de vieux amis avec lesquels je faisais, il y a quelques années, ce que nous appelions gaiement « la traite des blanches ». Nous avions monté une petite société de prestations de services, spécialisée dans la sélection de personnel bilingue, le plus souvent des secrétaires. Nous partagions les heures fastes et les moments de dépression, dont les courbes variaient en fonction du comportement de nos clients, de la régularité de leurs commandes ou de leurs règlements. C'est un peu comme un « régiment » que nous aurions fait tous ensemble. De temps à autre, Jacques aime à ressasser nos expériences communes devant quelque somptueuse tambouille.

Je les aime bien, Jacques, Monique et les trois garçons. Mais ils auraient pu choisir de venir un vendredi ou un samedi soir comme tout le monde... Seulement, pendant les week-ends, ils vont à leur campagne, pas question de lancer ni d'accepter des invitations à dîner. Alors, en sortant de mon bureau vers dix-huit heures, je m'en vais au supermarché.

C'est l'heure de pointe et je cherche une idée de menu. Un menu original, assez vite fait, d'un prix raisonnable et convenant aussi bien aux adultes qu'aux enfants. Mon chariot s'emplit peu à peu. Des asperges comme entrée... Deux boîtes... Un rosbif. Ce n'est pas très original, mais je leur ferai un Yorkshire pudding. Ils l'aiment. Je ne résiste pas aux haricots verts, c'est le légume qui convient. Tant pis pour l'épluchage. Ah, oui... Le vin. J'oublie toujours. De vingt ans de mariage avec un œnophile orthodoxe j'ai conservé la mauvaise habitude de ne pas m'occuper du vin. Alors, avec le rosbif? Bordeaux... Et puis au fond, bordeaux avec tout le repas, c'est aussi bien. J'empile les victuailles, les bouteilles. Je prendrai le dessert chez le pâtissier. Il fait des vacherins incomparables.

Une fois de plus, l'addition me surprend. Le poids de mes filets aussi. Je rentre avec, au moins quinze kilos de vivres et d'emballages au bout des bras. Ce n'est pas loin, mais tout de même... Je monte mes trois étages et m'attaque immédiatement à l'épluchage des haricots verts.

Je suis fatiguée. J'ai neuf heures de travail dans le dos et dans les jambes. Je n'éprouve pas tout le plaisir que je devrais à la perspective de cette soirée.

Pendant que le dîner cuit, je mets la table. Je sors une nappe, j'aère le service de Limoges qui me vient de ma grand-mère, je brique un peu l'argenterie. Je sors quelques disques. Après quoi, je fais un brin de toilette, je change de robe. Bref, je me conforme exactement à ce que l'on attend de la bonne hôtesse que je suis. Tout comme dans *Elle*. Cendriers? paré. Amuse-gueules? prêts. Glaçons, verres, whisky? Tout va bien. Je sors des fleurs fraîches de mon congélateur. C'est un truc que j'ai et je vous l'offre bien volontiers. Avec des jonquilles en plein septembre l'effet de surprise est assuré.

Ils arrivent. Je suis tout juste prête. Ils m'entourent de leur amitié, partagent mon dîner, discutent, s'attardent. Ils sont bien. Moi aussi et je ne regrette pas mes efforts. Vers une heure du matin, ils me quittent, repus et contents. Reste la nappe tachée de vin, les cendriers qui partout débordent, la vaisselle entassée dans l'évier, la moquette couverte de miettes. Reste à se réveiller en forme, à six heures trente demain matin.

J'ai bien dû me lever dix fois pendant le dîner pour surveiller la cuisson du Yorkshire pudding, pour changer les assiettes, pour apporter les plats, remplir les carafes. Il me reste encore au moins deux heures de travail pour tout remettre en ordre.

Bien sûr, j'aurais dû simplifier le service. J'aurais pu mettre Monique et Jacques à la vaisselle aussitôt le dîner terminé. Mais je ne reçois pas mes amis pour les calfeutrer dans ma cuisine, qui est d'ailleurs trop petite pour accueillir même une machine à laver la vaisselle.

J'avais cru trouver la solution. Une fois ou deux j'ai dit à Jacques « On se retrouvera vers vingt heures au restaurant »... Pour moi, c'était idéal. Ça me donnait le temps de repasser à la maison, de rectifier à loisir mon maquillage. J'arrivais détendue, je n'avais pas à me lever une seule fois au cours de la soirée, et je profitais au maximum de la compagnie de mes amis, sans la moindre corvée postdînatoire en perspective.

Au moment de payer, inévitablement, ça se gâtait.

— Je vous ai invités, disais-je...

— Suzy, vous n'y pensez pas, une femme seule... refusait Jacques.

Il gagne à peine plus que moi. Il a une femme et trois enfants à entretenir, mais sa conscience lui interdit de me laisser payer. Sa conscience ou son amour-propre. Curieusement, il ne voit en revanche aucun inconvénient à ce que je lui offre, après une dure journée de travail, tous les services que je viens de décrire, soit un minimum de quatre heures de travail, plus les frais. Il accepte que je mette les petits plats dans les grands et que je consacre à cette agréable soirée une somme d'argent indéterminée mais qui correspond approximativement aux deux tiers environ des sommes habituellement demandées pour les mêmes services par un restaurant moyen.

Il est vrai que pour cette somme, j'ai au moins trois jours de restes...

*
* *

L'homme, style cadre moyen prolongé, appuie sur le bouton de l'ascenseur. Son épouse achève de verrouiller la porte de leur logement et le rejoint sur le palier.

— Tiens, dit l'homme, tu ne t'es même pas maquillée?

— Non, répond la femme sereine, je n'ai pas eu le temps.

— Tout de même, insiste le mari, pour une fois que nous sortons... Je me demande ce que tu as bien pu faire tout ce matin... Je me suis bien rasé, moi...

— Ce que j'ai fait? Mais comme d'habitude : les lits, la poussière, le petit déjeuner, la vaisselle, un peu de rangement, les gosses...

Elle énumère tout ceci bien tranquillement. Il est évident pour moi que, pendant tout ce temps, monsieur ne pouvait que mariner dans la baignoire, le transistor débitant les pronostics sportifs de la journée. Elle a le cheveu court, propre, sans mise en plis. Un teint que lui envieraient bien des Anglaises... Le genre jeune mère de famille contemporaine... A mon avis, elle fait tout autant d'effet sans maquillage.

L'ascenseur nous absorbe tous les trois dans son habitacle exigu. Le fait que je leur souffle dans le cou ne semble pas les gêner. Après tout, ce sont mes voisins immédiats. Nos chambres à coucher sont jumelées par un mur mitoyen. Leurs enfants, trop bien élevés, observent avec un étonnement teinté d'envie autant que de réprobation mes filles sauvages et leurs nombreux amis. Nos chats, d'un balcon à l'autre, échangent d'hostiles politesses. Alors pourquoi se gêner, je suis presque de la famille... Ils continuent, tout contre moi, leur querelle de salle de bains.

— Mais enfin, insiste Adam, tu aurais pu faire un effort...

— Écoute, tu ne vas pas en faire un drame... Il fallait bien que je prépare les enfants... Et si le ménage n'est pas fait lorsque nous rentrons tu râles encore plus. Tu prétends que ça te déprime...

— Bien sûr que ça me déprime... Ça me rappelle le temps où j'étais célibataire et où je devais faire moi-même mon ménage... Affreux...

Cette horrible réminiscence le fait frissonner de dégoût. Dieu sait pourquoi il lance dans ma direction un coup d'œil qu'il veut complice, comme s'il cherchait un témoin... comme si le ménage était nettement plus intéressant et plus stimulant pour une femme que pour un homme... Ce coup d'œil? Dois-je comprendre qu'il attend de moi un sourire? Que j'opine du bonnet, partageant ainsi ouvertement sa commisération pour le sort cruel réservé aux célibataires mâles qui assurent eux-mêmes leur service? Voyons ce n'est pas sérieux. Trop de fantômes me reviennent en mémoire, trop de discussions du même ordre, trop d'enfants à débarbouiller, à tenir à vue... Lorsque le dernier était prêt, le premier s'était resali et le mascara apparaissait alors comme une absurdité de plus.

Il doit avoir quarante-cinq ans cet homme. Il semble sérieux. Il doit bien lire sept à huit livres par an : deux bouquins sur le Management, le best-seller d'il y a trois ans, trois policiers pendant les vacances et le Goncourt comme tout le monde. Après quoi bien sûr, étant au fait de la culture contemporaine, avec une grande assurance, il en parle. Comme il est consciencieux, il se peut même qu'il ajoute à cette liste un ouvrage sur la difficulté de communiquer au sein du couple. Ça ne lui sert pas à grand-chose, car voilà qu'il continue sur sa lancée :

— Et puis, tu aurais pu mettre ton deux-pièces rouge...

— Il est chez le teinturier. Tu sais bien que Thierry me l'a couvert de crayon-feutre lorsque j'essayais de le faire tenir tranquille l'autre jour...

— Tout de même, pour une fois qu'on sort, répète-t-il tristement...

Leur conversation se perd dans le parking où nous venons d'arriver. Inutile d'imaginer la suite. Les petits reproches idiots, sans agressivité mais constants, lancinants, injustes, inutiles, fatigants, usants, doivent se poursuivre près de la voiture familiale... Je mets en route et je les dépasse. Ma vitre est ouverte, ce qui me permet de saisir le mot de la fin prononcé par la jeune femme enfin excédée :

— Tu as voulu une femme de ménage, tu l'as!

Et pourtant, leur qualité dominante, n'est-ce pas la fiabilité? Aux mêmes causes correspondent les mêmes effets. Systématiquement. Jamais ils ne nous surprennent par des écarts de personnalité. Leurs joies, leurs colères, leurs réactions sont toujours raisonnablement prévisibles, stables, presque confortables. On n'est malgré tout jamais au diapason, quelques efforts que nous déployions. Car leur constance nous souhaite changeantes. Ils nous veulent en épouse modèle, en mère dévouée, en petite sœur des pauvres, en grande sœur vertueuse, en amante fougueuse, en femme du monde, en femme d'intérieur, en femme de ménage, en femme d'affaires, en femme de tête, en femme-objet, en femme galante, en femme folle et en femme-fleur. Eux n'acceptent jamais que le seul rôle immuable de mari. Nous faisons donc de notre mieux mais c'est toujours quand ils nous veulent femmes du monde que nous nous laissons vaincre par le ménage, et c'est lorsqu'ils ont besoin de leur chère maman qu'il nous prend l'irrésistible envie d'essayer illico la variante hongroise de la 33e position.

Dans cet appartement où j'habite depuis peu j'ai entrepris de faire des aménagements. La salle de bains par exemple... Elle est spacieuse d'une manière inespérée et équipée d'éléments sanitaires particulièrement harmonieux. L'hygiène est plus que jamais un plaisir. Les murs sont carrelés de gris. Ce n'est pas la teinte que j'aurais choisie, mais quoi... Je ne suis qu'une locataire dans cette résidence grand standing. Les miroirs ne sont pas encore accrochés. Je vais m'y mettre.

C'est là que je perçois que l'on recrute encore trop d'architectes parmi les hommes. Le mieux est l'ennemi du bien. Dans cet immeuble, il est évident qu'on n'a pas lésiné sur les détails. On a monté le carrelage aussi haut que l'on a osé, à savoir jusqu'au point où un homme moyen, normalement constitué peut accrocher son miroir afin de se raser. Je ne suis évidemment qu'une femme, pas trop grande, mais pas trop petite non plus... Mon miroir, ou bien je l'accroche à l'endroit prévu et c'est à peine si je pourrai désormais scruter l'évolution de mes rides sur mon front, ou j'invente un bricolage audacieux pour compenser l'inévitable décrochement qui se produit à la lisière des carreaux et du mur et j'installe mon miroir à califourchon sur le carrelage et le mur afin de surveiller plus facilement mes points noirs au bas du menton. Dans les deux cas, le résultat n'est pas enthousiasmant. L'architecte présumé mâle aurait pu s'économiser deux bonnes rangées de carrelage dans toutes les salles de bains de la maison. Mes voisines se seraient peut-être maquillées plus volontiers... Je ne sais pas comment elles ont résolu le problème. Quant à moi, poussée par la nécessité, j'ai installé le miroir à l'endroit prévu et j'ai fini par acheter un petit tabouret.

J'habite et je travaille à cinquante kilomètres de la capitale, en Picardie. Lorsque j'ai envie de me changer les idées, je vais à Paris. Comme la circulation y devient ridicule, surtout pour nous autres provinciaux, j'abandonne ma voiture à la porte de la Chapelle et j'opte pour le métro. L'odeur qui m'était pourtant familière il n'y a pas si longtemps m'agresse à présent. Par compensation, les nouvelles affiches m'enchantent. La province vous fait oublier ces détails. Je découvre Paris avec une joie toujours nouvelle. Je fais le tour des magasins, le tour des expositions, le tour de mes amis. Un soir, en rentrant, mon itinéraire me fait changer de métro à Strasbourg-Saint-Denis. J'enfile le couloir de la correspondance et je débouche sur un quai grouillant de militaires. La police me semble-t-il... Bêtement, je me dis : « Tiens, il a dû se passer quelque chose... Dans ce quartier, ça ne m'étonne pas... »

— Mettez-vous là, m'ordonne une énorme chose casquée.

— Que se passe-t-il? demandé-je, naïvement.

— Mettez-vous là, contre le mur...

J'obtempère, mais l'ambiance a changé. Il n'est pas hostile à une mémé comme moi, ce viril défenseur de l'ordre, mais son ton autoritaire a déclenché mon petit cinéma intérieur. Flash-back : 1942. J'avais onze ans. J'étais en sixième classique au lycée Racine. Métro Saint-Lazare. Cinq heures du soir. D'autres uniformes, la même agitation, les mêmes ordres, un peu plus gutturaux peut-être... « ... Contre le mur... Contrôle d'identité... Schnell... » La panique totale!

Je me suis ce soir fait prendre dans une « opération Coup de poing » qui éveille de vieilles tourmentes... Une opération destinée à réduire la délinquance chez tous ces jeunes gens mal-aimés que vous et moi avons mis au monde puisqu'on ne nous a pas permis d'agir différemment depuis 1920... Près de moi, une femme blonde, d'apparence douce et tranquille prend les choses très mal. Nous avons dû faire nos études sur les mêmes bancs car nous avons les mêmes références. Je l'entends crier :

— Alors quoi, c'est la Gestapo? Il faut être malade dans la tête pour aligner tout le monde contre un mur en plein Paris, à propos de rien, à onze heures du soir...

Elle a tort de parler de Gestapo. L'agent n'aime pas. Il cherche la petite bête et épluche nos cartes d'identité. Je la regarde de plus près. Nous avons le même âge. Peut-être a-t-elle connu des paniques plus précises et plus intenses que les miennes...

— Madame, dit l'agent, nous faisons ça pour vous protéger.

— De quoi? Qu'avons-nous à craindre à onze heures du soir dans le métro?

— Les agressions, les viols... Ils sont en augmentation vous savez...

— Et alors... Vous ne pensez pas sérieusement les réduire en terrorisant toute la population?

— Tout de même, depuis que nous faisons ça, les agressions ont diminué.

— Ça dépend lesquelles...

— Pardon?

— Ça dépend quelles agressions... Si vous croyez que ce n'est pas une agression contre les honnêtes gens que de les coincer comme vous le faites sur le quai d'un métro... Je me sens plus agressée quand un grand gorille comme vous me colle contre le mur, exige mes papiers et les scrute d'un air méfiant que lorsqu'un pauvre paumé me met la main aux fesses ou m'arrache mon sac à main...

Qu'en des termes galants... Le flic encaisse, essaye de comprendre... Il se sent une fois de plus mal-aimé...

— Mais le viol, dit-il...

— Et alors quoi, le viol?

— Le viol, ça ne vous fait pas peur?

— Vous ne croyez pas sérieusement que vous allez empêcher le viol en vérifiant brutalement l'identité de soixante-quinze paisibles voyageurs? Pourquoi les gens qui violent n'auraient-ils pas des papiers en règle? Et d'ailleurs le viol, je n'y crois pas...

— Pourtant, les statistiques...

— Allez donc vous poster sur les routes...

— Sur les routes?

— Sur les routes, continue la dame, un peu curieusement.

L'agent est interloqué.

— Pourquoi sur les routes?

— Je préfère dix viols à un accident de voiture qui me laisserait à jamais estropiée. Croyez-moi, c'est sur la route que les hommes prouvent le plus dangereusement leur virilité. Le viol vous savez, on finit toujours par s'en remettre...

Il y a, sur le quai, des messieurs outrés, d'autres surpris, quelques-uns franchement hilares. La plupart des femmes prennent discrètement l'air de n'avoir rien entendu, c'est plus raisonnable. En tout cas, pas une ne conteste le bien-fondé de cette audacieuse réflexion. Notre « peur ancestrale du viol » serait-elle en voie de disparition? Ne s'agirait-il donc que d'une « invention de chaisière » comme dit Jean-Louis Bory, ou de l'une des dernières formes d'expression de l'inquiétude masculine? Quoi qu'il en soit, si la peur du viol ne nous arrête plus, tous les espoirs nous sont permis.

Il doit être près d'une heure, j'ai faim. Je

prends la route pour regagner ma province proche, ma banlieue lointaine. A la porte de la Chapelle, les « stoppistes » agglutinés tendent des pancartes sur lesquelles ils ont inscrit leur destination. Pour me distraire, je décide d'en embarquer un. Je n'ai que cinquante kilomètres à faire mais qui sait... Ça peut intéresser quelqu'un.

... Ça intéresse.

J'installe sur mon siège avant un grand félin roux aux jambes interminables et qui vient de déposer un sac de marin sur la banquette arrière.

— Je peux fumer, demande-t-il?

— Bien sûr.

— Vous en voulez une, dit-il, en me passant ses gauloises?

— Merci.

On fume un peu, en silence.

— C'est rare d'être pris par une femme, commente-t-il après quelques bouffées...

— Vraiment?

— Oui. Je crois qu'elles ont peur.

— Peur? Peur de quoi?

Il se trouble un peu... Il pense que je devrais deviner de quoi il convient d'avoir peur lorsqu'on est une femme... Il trouve que ce n'est pas gentil de l'acculer à me mettre les points sur les « i ».

— Vous savez, tous les « stoppistes » ne sont pas toujours très corrects...

— Ah bon?

Aurais-je laissé percer un peu de gourmandise dans ma voix? Je crois que je l'ai choqué. Il est exact que je viens de penser en un éclair qu'il y a bien longtemps qu'on ne m'a pas sérieusement manqué de respect. Pas d'erreur, je vieillis.

Il me regarde surpris, au moment où je le regarde aussi. Bref échange qui installe dans la voiture un peu de gêne. A la dérobée, lorsque la circulation me le permet, je l'observe. Il a la peau blanche des rouquins, presque transparente, la crinière touffue et ondulée, des mains longues et minces et le dos qui se voûte un peu, comme un grand. Il ne doit pas se raser plus de deux ou trois fois par semaine.

— Vous savez, dis-je pour le réconforter, sur cinquante kilomètres à la sortie de Paris, en plein milieu de la journée, je ne crois pas avoir grand-chose à craindre de vous ou de quiconque...

Il rit, rassuré.

— C'est vrai, dit-il, je suis bête...

Le contact est rétabli. Il est mignon ce petit. Il a de longs cils de fille et une voix un peu grave, bien posée. Il me raconte qu'il est éducateur. Il me parle des enfants-à-problèmes. C'est un fervent des thérapeutiques basées sur le travail manuel. J'écoute. J'aime que les gens soient passionnés par leur métier. Ils ont l'air heureux. Peut-être le sont-ils?

Il voit que je m'intéresse à son sujet. Il devient

lyrique. Naturellement, il démarre avec Freud et Adler, il évoque Wilhelm Reich et exhume même Binet. Il se rend compte que je suis son discours et veut voir jusqu'où je vais tenir... Il saute aux contemporains, effleure Lacan et décortique Cooper et Laing... J'ai droit même à Balint, je suis toujours... Ça paraît le décevoir un peu. Nous autres femmes, nous avons toujours intérêt à dissimuler nos connaissances, même avec les petits frères des grands chambouleurs de Mai 68. Avoir toujours l'air de finir par ne rien comprendre et d'attendre d'eux, et d'eux seuls, les explications que naturellement ils sauront mettre à notre portée. J'avais un instant oublié cette règle d'or pourtant élémentaire... Mon compagnon essaye sur moi des noms moins prestigieux. Il les sort d'un peu partout, ceux qui éduquent les bien portants, ceux qui soignent les malades... J'ai droit à la Montessori, à Neil, à Bettelheim, à Célestin Freinet, à d'autres encore. Je suis toujours, et maintenant, ça l'agace visiblement. Il est superbe comme ça, le visage avivé par la discussion, décidé à l'emporter, lui, l'éducateur professionnel, sur le vulgaire amateur que je suis... Je m'amuse un peu. Je lui propose le Grand Siècle, Fénelon, la Maintenon, l'éducation des filles, et je lui demande sans rire « Comment peut-on être éducateur? » Il n'apprécie pas. Il me vient à l'idée qu'il reconditionne à leur rôle de femmes les petites filles révoltées qui voudraient par-dessus tout être curé ou rouler en Suzuki... Craignant le pire, je n'ose même pas lui poser la question.

Soudain, sans prévenir, il m'envoie Françoise Dolto dans les dents. Je rétorque avec Ginette Raimbault et le rapport Bloch-Lainé sur l'enfance inadaptée. Il me sort Olivenstein et les problèmes des stupéfiants, je me sers bassement de Spock dont, bien entendu, il n'a jamais rien lu.

Un beau match culturel qu'au fond je ne désire pas gagner. C'est pour le sport, tout simplement, pour le plaisir... Je décide de le laisser parler et de reprendre une attitude un peu plus traditionnelle... Mon admiration n'est d'ailleurs pas feinte. Un sacré jouteur tout de même ce petit jeune... Et qui croit vraiment à ce qu'il fait, encore qu'en ces instants, il n'ait rien de non directif. Je me tais, je l'écoute, jusqu'à ce que mon silence lui paraisse suspect.

C'est curieux comme en vieillissant il vous vient parfois le goût des douceurs, des sucreries. Je prends soudain conscience que j'ai tout simplement envie de ce petit jeune homme-là, avec ses convictions, sa fougue, sa peau blanche et ses taches de rousseur. Ce n'est qu'une révélation mineure mais elle me remet en mémoire le temps où je pratiquais moi-même l'auto-stop. Les automobilistes, dans ces années-là, qu'ils aient dix-huit ou soixante-dix-huit ans, ne faisaient pas mystère de ce genre de réaction. Ils annonçaient la couleur sans vergogne. N'étaient-ils pas des hommes, des chasseurs? Il fallait alors se défendre habilement mais fermement, tout en essayant d'éviter qu'on ne vous abandonne par dépit sur le bord de quelque thalweg où serpente vaillamment une route à circulation négligeable, voire nulle.

Je meurs de faim. Le souvenir des automobilistes de jadis me fournit une inspiration perverse. Je décide de me venger gentiment... De me venger des agacements du passé et des complications d'un présent parfois difficile à négocier. Je choisis de bousculer un peu cette culture qui me confine dans ce rôle de femme mûre dont je sortirais bien, ne serait-ce qu'aujourd'hui. J'attaque :

— N'avez-vous pas faim?

— Un peu, oui...

— Si nous allions manger un couscous! Je connais un Marocain juste avant Chaumontel qui fait le meilleur couscous de la région...

— Vous savez, je peux encore attendre, dit-il avec un léger embarras...

Je comprends qu'il n'a pas d'argent et qu'il hésite. Tant mieux, cela sert mes projets...

— Je vous en prie, accompagnez-moi. J'ai

horreur de déjeuner seule. Venez, je vous invite.

Il proteste un peu, pour la forme et puis, comme il appartient, Dieu merci, à cette génération de communautaires actifs, tout simplement, il accepte.

Sadok nous accueille avec son large sourire, comme si nous étions de vieux amis soudain retrouvés et nous installe à une petite table dans un coin. Le roseau pensant qui m'accompagne déplie sa serviette, en un grand geste un peu maladroit. Il est évident qu'au fond, lui aussi meurt de faim, et qu'il se sent un peu nerveux.

Je le vois mieux, tout à loisir. Il n'a pas les yeux verts et c'est dommage. Gris-marron plutôt... Il a horreur que je le dévisage et s'agite un peu sur sa chaise. Je lui donne quelque répit en examinant le menu que je connais par cœur. Je le lui passe. Je ne vois plus que ses longs doigts dont, curieusement, deux ongles seulement de la main droite sont rongés. Il sent mon regard sur ses mains et pose vivement le menu. Ces jeunes hommes n'ont pas l'habitude de cette médecine que leurs papas et eux-mêmes nous ont administrée depuis des siècles. Être traités en objet sexuel, ça les gêne considérablement...

— Alors, couscous?

— D'accord... Au mouton si possible, ajoute-t-il.

— Brochettes?

— Oh, non, ce n'est pas la peine...

— Allons, allons, puisque nous avons pris la peine de venir jusqu'ici autant en profiter...

— Comme vous voudrez, va pour les brochettes...

Je commande les deux couscous avec les accessoires habituels. Et une bouteille de Sidi-Brahim, parce que j'aime ça.

Le service du couscous fournit à mon compagnon un peu de répit. Nous entassons la graine légère dans nos assiettes, nous nous passons cérémonieusement la louche pour poursuivre au fond de la soupière les pois chiches récalcitrants. Au cours de ce rituel, je m'arrange parfois pour que nos mains se frôlent. Ce n'est vraiment rien, mais ça rend mon convive terriblement nerveux.

Sadok, souriant, apporte des merguez. Mon poulain roux noie l'harrissa de bouillon au creux de sa cuillère à soupe et répand avec un peu trop de hâte le mélange ainsi obtenu en touches légères au-dessus de son assiette fumante. Au fond de la salle, sur un feu de sarments de vigne cuisent nos brochettes. Le moment est paisible et fort agréable. Le couscous m'attendrit à moins que ce ne soit le vin ou l'atmosphère générale de gentillesse qui règne toujours chez mon ami Sadok. J'ai soudain honte de ma petite comédie ridicule. La fantaisie sexuelle que m'inspire ce fragile jeune homme qui déjeune aujourd'hui près de moi s'estompe et se transforme en un intérêt quasi maternel. A partir de cet instant, je renonce à inquiéter l'enfant.

La bouche pleine, mon nouvel ami continue la conversation entamée dans la voiture... Il est un peu agité et se demande si je vais lui faire payer en nature son voyage et son déjeuner... Alors il parle, il parle, il parle... Je n'ai même plus à lui donner la réplique.

Au moment des pâtisseries au miel et aux amandes je regarde ma montre et je constate que je vais être en retard à mon rendez-vous de l'après-midi. Sans réfléchir, je fais une proposition inconsidérée :

— Je vais être en retard. Que diriez-vous de venir prendre le café chez moi?

Je jure que ce n'était pas prémédité et que j'avais renoncé au petit jeu du chat et de la souris depuis quelques instants déjà. En l'occurrence, la souris n'avait pas, je crois, perçu ce renoncement. La perspective d'un café dans mon salon, qu'il imagine Dieu sait comment — probablement bourré de divans profonds où s'amoncellent des fourrures sous des abat-jour voilés le panique considérablement. Il s'enroue, bafouille puis déclare fermement d'une voix qui a soudain monté d'un octave qu'il ne boit jamais de café.

J'ai pitié. Je boirai mon café seule, plus tard. Décidément, je n'aurai jamais l'étoffe d'une ogresse. Calme-toi mon petit. La grosse dame ne te fera aucun mal.

Nous repartons et parcourons presque en silence les quelque vingt kilomètres qu'il nous reste. Je roule un peu vite et je prends quelques risques pour ne pas être trop en retard. Je le dépose à un croisement stratégique d'où il pourra sans doute trouver une autre bonne volonté qui le mènera à l'étape suivante.

Par la portière ouverte, il tente de me remercier. Il me retire du même coup les quelques regrets qu'il aurait pu me laisser :

— Le couscous était délicieux, et merci encore pour le petit voyage... Vous conduisez très bien... pour une femme!

***

CHAPITRE 3

« Nul ne peut se vanter de se passer des hommes... »

SULLY PRUDHOMME

Mais pourquoi donc mon amie Françoise veut-elle se remarier? Parfois, je me le demande. Je l'ai connue jeune fille, intelligente, curieuse, active, convaincante, responsable... Je l'ai connue mariée, silencieuse, effacée, fagotée, piégée, mal résignée, se méprisant elle-même, irritée, déprimée, mais choisissant le courage avec son sourire toujours prêt à surgir en dépit des difficultés. Je la vois aujourd'hui, seule, adulte, avertie, vivante, enthousiaste, capable, fonceuse, dévouée, généreuse, plutôt mieux en quelque sorte... Se remarier? Quelle idée. Pourtant elle pourrait, c'est certain, inventer quelque chose de superbe pour elle et son entourage, pourvu que l'homme choisi fût le bon.

Et moi? Moi, pour être franche, je pense à mes vingt ans de mariage comme à une pierre tombale. Quelque chose qui a vécu et dont le souvenir à présent s'estompe, hormis quelques faits saillants qui, à la faveur d'un disque ou de la traditionnelle photo jaunie, viennent réveiller ce vieux rhumatisme que je traîne, quoi que je fasse, au fond de l'âme depuis tant d'années. Le mariage, ça m'a fait trop mal. Je n'en parle pas volontiers. « 6 décembre 1950-23 février 1969 »... Dix-neuf ans, deux mois et dix-sept jours, plus de sept mille nuits, plus de deux cent mille heures de patience, d'efforts, presque d'ennui.

Ma mémoire doit me jouer des tours. Il a dû y avoir de bons moments, des éclats de rire, des rêves en commun, des projets partagés, des joies certaines. Aujourd'hui, je n'en retrouve plus aucune trace. Lorsque j'évoque cette longue aventure, je ne reçois plus que des images hostiles, celles d'un monde humide, étroit, glacé et complètement clos. Quelque chose comme vingt ans de forteresse que je me serais infligés à moi-même pour une faute absurde, commise je ne sais où, contre je ne sais qui, sinon, sans doute, contre moi-même. Vingt ans de forteresse pour cette tare éducative, cette erreur permanente de diagnostic qui me poussait sans cesse à la résignation, vingt ans de forteresse, peut-être, simplement, pour un malentendu d'amour.

Nous n'étions pas riches, du moins le pensais-je. En fait, nous n'étions pas assez à l'aise pour apaiser à la fois nos ambitions et notre anxiété. En ai-je franchi des fins de mois insurmontables qu'il fallait pourtant bien négocier! Il y avait toujours un gosse qui avait besoin de chaussures, un autre qui attrapait la rougeole, le troisième un zéro en orthographe. Les rentrées des classes prenaient des allures de catastrophes nationales tant il fallait de livres, de cahiers, de manteaux, de bonnets, de gants, de taille-crayons, de survêtements, de chaussures de sport, de gommes, de carnets, et d'irritants tabliers. Les départs en vacances évoquaient irrésistiblement l'exode, et les retours, tout simplement, la débâcle.

Heureusement, nous lisions beaucoup. Avant la télévision à la portée de tous, la lecture était comme une drogue qui nous soutenait. Mon mari se vantait de lire un livre par jour. C'était vrai. Il avait des loisirs, il le faisait. On peut facilement en déduire le temps qu'il consacrait aux échanges humains au sein de sa famille. Nous étions malheureux, nos enfants l'étaient aussi. Nous tentions parfois d'en sortir ensemble et l'une de ces initiatives collectives nous conduisit aux U.S.A. en qualité d'immigrants.

Juste avant notre départ pour les États-Unis, j'ai pour la première fois lu *le Deuxième Sexe*. Les gens qui, comme moi, achevaient leurs études au lendemain de la Seconde Guerre mondiale s'étaient plongés avec avidité dans Sartre et Simone de Beauvoir. J'avais été très touchée par *le Sang des autres* [1]. « Il faut s'engager spontanément sans perdre de temps, hurlait le *Sang des autres,* avant que les circonstances ne vous contraignent à le faire... » Nous autres jeunes femmes préservées n'avions d'autres habitudes que celle de l'engagement sentimental à long terme. Toute autre forme d'action nous déroutait ouvertement. On nous tenait là un langage bien neuf. Quelques femmes issues de la Résistance tentaient cependant l'aventure politique mais la plupart retombaient assez vite dans un anonymat relatif ou total. Des journalistes du sexe présumé faible survivaient plus ou moins bien. Moi, j'attendais la suite... je ne sais quel miracle qui ne manquerait pas de se produire, quelque part, quelque jour. Je n'étais pas déroutée par l'action. Je cherchais une ouverture, un contact, un créneau, une forme d'expression qui me permettrait d'apporter ma participation à cette lutte des femmes qui, me semblait-il, ne devait pas tarder à s'organiser. Pendant ce temps-là, autour de moi, on accouchait. Tout le monde accouchait, j'accouchais aussi. Tout le monde mettait bas, sans arrêt, tout le temps, partout. La technique de pointe, c'était l'obstétrique. Quand on n'accouchait pas, c'est qu'on avait eu le courage de confier ses malheurs aux sages-femmes parallèles

1. *Le Sang des autres,* Simone de Beauvoir, Gallimard.

qui, sur la table de leur arrière-cuisine, nous débarrassaient de nos fœtus en excédent.

Parfois, il fallait aller terminer l'opération dans quelque hôpital où le personnel vertueux vous infligeait un curetage à vif, afin que vous eussiez, pour le même prix, sinon un enfant, du moins une bonne leçon.

Non, ce n'est pas, comme le prétendent certains, la première fois que l'on trompe son mari que l'on devient adulte. C'est la première fois que l'on refuse seule un enfant, surtout dans les circonstances qui nous étaient réservées pour cela. Vers 1927 un film de Cukor montrait une jeune fille qui pour la première fois va faire l'amour. Cette jeune fille, sentimentale autant que d'autres, n'oubliait pas d'aller consulter un gynécologue et de se faire prescrire un diaphragme avant de passer aux actes. A ma connaissance, ce film n'a jamais été doublé en français. Nous autres en France, au nom de trop de principes, nous avons délibérément entretenu le Moyen Age au détriment de toutes les femmes, c'est-à-dire de toute notre civilisation.

J'avais honte de notre gouvernement, de nos médecins, de nos maris et de nous-mêmes et cette honte a bien du mal à disparaître aujourd'hui. Avec la publication du *Deuxième Sexe,* il me semblait que tout allait changer. Les choses désormais étaient claires. Le conditionnement culturel des femmes brillamment décortiqué, personne ne pouvait plus l'ignorer.

C'est avec cet espoir au cœur que je suis partie aux États-Unis, vers 1954 avec ma famille. *Le Deuxième Sexe* expliquait tout. C'était ma bible et, comme tous les croyants, il me semblait que ce devait être pour tous le livre même de la vérité.

Nina, ma chère amie, j'ai été très touchée du reproche que vous m'avez fait. Il paraît qu'il m'arrive de dire « la Beauvoir », et vous notez dans cette appellation une nuance péjorative. Ce soir, c'est vendredi. Il est dix-neuf heures, c'est l'automne et c'est Paris. Je marche dans les rues qui soudain se dépeuplent. Le week-end s'annonce magnifique. Quelques fenêtres se sont ouvertes sur cette belle soirée, l'une des dernières de l'année. Des bruits familiers me parviennent, le dîner que l'on prépare, la radio... Je ressasse en marchant votre reproche. Pour moi, « la Beauvoir », c'est comme « la Callas », « la Mesplé », « la Crespin »... La Beauvoir, c'est notre voix collective, ferme, documentée, sonore... Pas la moindre nuance délibérément péjorative...

Oui, la Beauvoir pour moi, c'était la première voix autorisée qui me soit parvenue au fond d'un désespoir profond pour me faire comprendre qu'il n'y avait aucun déshonneur à être une femme et à se conduire comme telle, c'est-à-dire comme un être humain, du sexe féminin. La Beauvoir, c'était ma conscience, mon guide... Mais vous devez avoir raison, Nina, en dépit de tout ce qu'elle m'a apporté, il me reste quelques réticences à l'égard de cette dame. Posséder cette voix que *les Mandarins* avaient vulgarisée, avoir écrit *le Sang des autres* et connu toutes les souffrances des femmes alentour et avoir cependant tant tardé à accepter le rôle de porte-parole que les femmes du monde entier lui proposaient, avoir différé si longtemps le moment de gueuler en faveur de la contraception, en faveur de l'abolition du code Napoléon, en faveur du droit au travail, en faveur de la libéralisation de l'avortement... Je n'ai pas toujours bien compris ses mobiles, il m'est arrivé de lui en vouloir comme j'en ai voulu aux femmes de la génération précédente qui avaient dans leur ensemble accepté aussi tout cela. Mais rassurez-vous Nina, je leur ai depuis longtemps pardonné. Leur vie non plus n'a pas été facile. Et pour vous faire plaisir, à partir d'aujourd'hui, la Beauvoir, je m'en vais l'appeler Simone. Après tout, c'est aussi le prénom de ma mère...

Aux États-Unis, je me sentais bien. La condition féminine y était à la fois plus difficile à vivre et plus facile à éviter qu'en France. Dans la presse et à la télévision, les petites filles apprenaient de bonne heure à battre des cils pour extorquer un peu plus d'argent de poche à leur papa chéri. Les femmes seules survivaient mal dans une société qui glorifiait « Mom » à l'égal d'une idole. Elles se remariaient bientôt, même mal. Nous, nous étions à peine moins pauvres qu'en France mais tout était nouveau. Mon mari s'adaptait mal. Moi, j'étais heureuse. Je découvrais un monde neuf et je pressentais que bientôt, tout serait possible. Kerouac et Ginsberg prenaient la route, Paul Goodman écrivait « Growing-up absurd » et je ne doute pas que Betty Friedan ait commencé à prendre des notes. Le monde allait changer, la société aussi. J'en avais une conscience aiguë et je voulais participer à cette énorme mutation où se jouerait le sort des femmes.

Et puis mon mari décida de rentrer en France. J'aurais, pour ma part, préféré prolonger un peu l'expérience. « Il faut choisir, me somma l'homme, aimablement, c'est l'Amérique ou moi... » Rien que ça. J'étais jeune, je n'étais pas encore prête à choisir l'Amérique qui regorge pourtant de beaux spécimens. Une fois de plus, ce fut lui, lui et nos enfants. Docilement, je suis rentrée. Avant de revenir en France, comme nous n'avions pas d'argent pour rapporter d'autres souvenirs que ceux qui rôdaient dans nos têtes, nous nous sommes fait un enfant. C'est le seul de nos quatre rejetons que nous ayons fait dans la joie, en pleine connaissance de cause. « Restez donc, disaient nos amis américains... Votre enfant sera peut-être président des États-Unis, qui sait ? »

— Et si c'est une fille, me disais-je à part moi?

Inutile de soulever le problème, il était bien trop tôt. Il y avait déjà quelques femmes aux affaires ici et là dans le monde, la reine Élisabeth d'Angleterre, la reine de Hollande et quelques autres exceptions, mais les femmes élues comme Indira Gandhi, Golda Meir ou Margaret Thatcher se comptaient encore sur les doigts. Je savais bien qu'un enfant né sur le sol américain, quel que soit son sexe, rencontrerait beaucoup plus d'opportunités que le même enfant venant au monde dans la vieille Europe. Je partis pétrie de regrets.

Nous sommes rentrés, ce n'était qu'une escapade... Nous avons récupéré un appartement que nous avions sous-loué meublé car c'était à l'époque une denrée rare. Nous avons installé nos premiers enfants dans leurs lits superposés et, pour faire de la place au lit du nouveau-né, nous avons revendu le piano. Avec une légèreté souvent qualifiée de « féminine », je n'ai jamais depuis cessé d'avoir envie de me remettre à la musique. Je m'en console aujourd'hui en regardant Zaza, ma fille made in U.S.A. A présent, lorsque Zaza me sourit, je crois bien que c'est toute l'Amérique qui m'aime.

Après cet épisode outre-Atlantique, j'ai le sentiment de n'avoir plus vécu normalement. Mon mari pendant un temps m'appela « l'Américaine ». Il attribuait ce qu'il appelait ma transformation à l'exemple de la néfaste liberté dont jouissaient à ses yeux les femmes de ce pays. Moi, je savais bien qu'il ne s'agissait que d'une évolution, due à mes lectures et à une introspection aiguë et permanente qui favorisaient ma prise de conscience et entretenaient ma révolte latente. Nous avons tenté de continuer à survivre, pris à la gorge comme nous l'étions par les problèmes d'intendance quotidienne, mais je crois que déjà, nous savions l'un et l'autre qu'il ne s'agissait plus que d'un sursis.

Heureusement, nous lisions toujours. Nous tentions parfois de nous rapprocher à travers nos lectures, nous recommandant nos auteurs favoris et échangeant les commentaires qu'ils nous inspiraient. C'est ainsi que pendant que je passais mes soirées avec Simone, mon mari à longueur de journées, absorbait Hervé Bazin. Naturellement, ce n'est pas là qu'il faut chercher la cause essentielle de notre divorce, quoique... Simone et moi, au cours des mêmes années, tentions de cerner la condition féminine et d'apporter des remèdes, des solutions, aux problèmes les plus criants. Soutenu par mon mari, Hervé Bazin, les premiers romans autobiographiques achevés, produisait des bluettes romanesques qui m'époustouflaient. « Lis ça, disait mon mari, c'est tout à fait la description d'une femme vue de l'intérieur... » Hervé Bazin en effet, joyeusement, à la première personne du singulier, se prenait pour une femme au point que ça en était troublant... Mon mari était enthousiasmé... Moi, j'étais fascinée. Il me semblait qu'aucune femelle dans son bon sens ne pouvait raisonnablement s'identifier à ces héroïnes dont le portrait intime devait plus à l'imagination pure qu'à la simple observation... J'étais ahurie que les hommes trouvent ça ressemblant, authentique, de l'art à l'état pur...

J'aurais bien dû le comprendre dès ce moment-là : entre Simone et Hervé, ça ne pouvait pas coller !

*
* *

Bidou, c'est pour le moment l'homme de ma vie. Je n'en connais aucun de plus sale, de plus actif, de plus affectueux. Lorsque j'arrive, il me fait l'honneur et la joie d'abandonner pour moi toutes sortes d'activités compliquées et de me tendre les bras. Bidou, c'est mon petit-fils, une merveille...

Lorsque vous vous retrouvez bien arrimée à

votre quarantaine, lorsque vous finissez de digérer un divorce un peu douloureux, lorsque vous venez de faire face seule à la turbulente adolescence des quatre enfants que vous ont laissés vingt ans de mariage, lorsque vous avez le sentiment que tout s'arrange, lorsque la solitude, petit à petit devient supportable, lorsque vos enfants prennent l'allure d'adultes responsables et organisés, lorsque les pièges qui menaçaient votre carrière semblent évités, vous avez, tout naturellement, envie de souffler un peu, de prendre du recul, de faire le point.

J'en étais là de ma vie lorsque Françoise et Daniel ont soudain choisi de me faire grand-mère.

Trop, c'est trop! Quel besoin avaient donc ces jeunes gens pleins d'avenir de me pousser si vite vers le troisième âge? Tout allait donc recommencer, les biberons, les couches, les pleurs incontrôlables, devant lesquels on se sent totalement impuissants, les dents, les vaccinations, les rougeoles, les chutes, l'apprentissage de la lecture et de la vie. On ne peut donc jamais être tranquille? Aucun répit?

Autant de prétextes que j'invoquais pour justifier ma contrariété... En réalité l'intense sentiment de refus que j'avais éprouvé à chacune de mes involontaires grossesses me revenait. Et ces haut-le-cœur de frustration que j'avais, lorsque mon mari disait aux enfants : « Votre mère... », car il avait très tôt préféré voir en moi la mère de ses enfants plutôt que son épouse... La qualité de mère dictait mon comportement, jusque dans les plus petits détails de la vie. J'avais horreur de tout le folklore qui entoure la maternité : le respect factice, l'affection sur commande, l'obéissance ostentatoire... Puisque je devais avoir des enfants, je les voulais aussi libres que possible, indépendants, solides, et conscients. Leur affection, leur respect me viendraient de surcroît, s'ils m'en jugeaient dignes. Il me faudrait les mériter. Cela n'a pas toujours été facile, mais je voulais les aimer pour eux, les aimer pour de bon.

Françoise je crois, perçut tout cela :

— Mais Maman, c'est notre gosse, nous en sommes heureux. Je t'en prie, essaye d'être contente avec nous...

C'était vrai, tout le monde était heureux. Ma mère, que l'événement faisait pourtant reculer d'un cran elle aussi, ne se tenait pas de joie. Elle allait devenir arrière-grand-mère avant d'avoir pris sa retraite. Dès qu'elles apprirent la nouvelle, mes deux autres filles, Zaza et Mimosa qui n'avaient jamais tricoté de leur vie, s'en furent acheter l'*Encyclopédie de la layette contemporaine,* et fouiner aux Puces pour trouver à cet enfant, qui ne naîtrait pas avant six bons mois, tous les gadgets rétro dont il ne saurait se passer... Martine, ma belle-fille, se sentit un peu attendrie et mon fils Philippe m'avoua qu'eux aussi, l'an prochain...

L'an prochain, c'est vrai... J'avais si profondément ressenti ces choses-là, au cours des années cinquante, que la pilule, les stérilets et autres merveilles dont disposent aujourd'hui nos enfants m'étaient sortis de l'esprit... Je fonctionnais encore viscéralement comme si une grossesse était toujours malvenue, comme si elle ne pouvait trouver son terme que dans un avortement clandestin ou dans la mise au monde d'un enfant non désiré. Je réagissais encore comme la lâcheté collective des médecins, des journalistes, des hommes politiques et des femmes résignées m'avait conditionnée à le faire, en ne me laissant d'autre méthode de contraception que la stérilisation.

Sachant bien que nous n'avions pas encore gagné la guerre, je mesurai cependant le chemin parcouru :

En 1946, lorsque ma mère vota pour la première fois, elle avait trente-huit ans. Elle ne concevait que d'une manière assez vague la façon dont ses enfants lui étaient venus. Elle faisait simplement confiance à mon père. Lorsque j'ai, pour ma part, atteint la majorité, j'avais déjà deux enfants et la charge d'une famille de quatre personnes. Je savais parfaitement comment j'avais fait ces innocents. Ce que je ne parvenais pas à mettre au point c'était une manière pratique et efficace de n'en pas faire d'autres. Je trouvais injuste ayant des charges de famille, de ne pas voter. Le bulletin de vote, lorsque enfin, on me l'accorda, ne me fut pas d'un grand secours. Les blocages collectifs étaient encore insurmontables.

Je réalisai que quand cet enfant viendrait au monde, mes filles seraient toutes majeures. Mimosa elle-même aurait dix-huit ans. Elle pourrait voter, prendre la pilule, gérer son compte en banque, comme le fait déjà Zaza.

Je décidai de réagir et de pavoiser en l'honneur de ce petit-fils qui n'était pas responsable des difficultés à vivre que j'avais parfois éprouvées.

Je m'abandonnai totalement, passionnément, sans réserves. Être grand-mère, c'est super!

— Mais tu es folle, crie Marianne dans mon téléphone... Enfin, qu'est-ce qui te prend?

— Écoute, ne crie pas, c'est décidé je renonce à Roland.

— Mais pourquoi?

— Oh, c'est trop compliqué à expliquer comme ça. Il y a des milliers de raisons.

– C'est au lit que ça ne va pas?

— Non, pas vraiment, c'est un peu partout...

— ... Parce que tu sais, il paraît que...

Ça y est. Elle a encore lu un bouquin de sexologie et veut me faire profiter de ses dernières découvertes. Elle puise ses arguments indifféremment, dans Gérard Zwang, Masters et Johnson, San-Antonio ou dans les feuilles ronéotypées des petits journaux de la contre-culture. Si j'avais envie de rire, je me laisserais aller volontiers.

— ... Et de toute façon, poursuit-elle, aucune de nous aujourd'hui ne doit accepter d'être mal baisée.

— Mais enfin Marianne, je n'ai jamais dit que j'étais mal baisée...

— Non, non... Tu ne le dis pas parce que tu es discrète mais je me demande si ce pauvre Roland est vraiment toujours à la hauteur...

— Franchement, tu exagères. On est deux dans un lit et j'ai tendance à penser que si on est mal baisée, c'est qu'on le mérite. Jusqu'à présent je n'ai jamais eu à me plaindre, j'ai toujours été bien servie.

— Ne te fâche pas. Il y a tout de même des moments où ils ne sont pas très en forme, non?

– Moi aussi il y a des moments où je ne suis pas très en forme. En tout cas, s'il m'arrive d'avoir un monsieur en difficultés entre mes draps, je considère de mon devoir de lui épargner les reproches. Il vaut mieux lui donner un coup de main.

— Tu as de ces formules...

— Excuse-moi. En tout cas, pour Roland, c'est terminé.

— Bon. Mais écoute, qu'est-ce que je dois dire s'il me téléphone?

— Rien. Tu ne sais rien. Je ne veux pas l'épouser, c'est tout.

— Tu as bien réfléchi?

— Oui, très bien.

— Et tu ne veux pas me dire pourquoi?

— Mais si, bien sûr, mais par téléphone c'est trop long...

— Et si tu venais dîner ce soir?

— ...

— Georges est en voyage. Nous aurons toute la soirée.

— O.K. Je serai là vers huit heures.

Marianne ne me laissera pas en paix tant qu'elle n'aura pas mis à jour mes états d'âme. C'est elle qui m'a présenté Roland si bien qu'elle pense avoir des droits... Le droit de savoir en tout cas.

Au fond, pourquoi pas? Après mon divorce, Marianne m'a été d'un grand secours. Je n'avais plus envie de voir personne, je me terrais, je refusais de m'habiller et de sortir. Elle a été d'une efficacité infernale, prenant des billets pour n'importe quoi, venant me chercher, inventant toutes sortes de prétextes pour me distraire, m'asseyant à ses petits dîners, à la gauche d'hommes seuls qui étaient censés pouvoir me convenir, sait-on jamais...

J'ai ainsi rencontré chez Marianne un directeur d'école primaire de banlieue, originaire de l'Aveyron, un inspecteur S.N.C.F. dont la calvitie avait quelque chose de spatial, et Roland. Je n'ai jamais su où Marianne les recrutait. Elle me faisait de superbes discours sur la nécessité de ne pas se replier sur soi-même, de ne pas se raccrocher à ses enfants ce qui est anti-éducatif, ni à son métier ce qui ne mène à rien... Des discours sur l'obligation devant laquelle nous nous trouvions tous, nous autres humains, de nous construire une vie sexuelle et affective aussi complète que possible... Des mots, des exhortations...

J'avais trente-huit ans, quatre enfants et près de vingt ans de vie conjugale lorsque j'ai cessé de faire régulièrement l'amour. Je savais bien qu'elle avait raison. Je n'étais même pas à la moitié de mon existence il fallait réagir. A trente-huit ans, même en se tuant au travail, on reste jeune. Les soirs d'hiver, je rentrais par le métro bondé, coincée entre de larges épaules, gênée puis stimulée par les transpirations viriles à l'entour. Je remontais chez moi en tentant de maîtriser cette dépression familière au creux du ventre. J'aurais, dans ces moments-là, accueilli à peu près n'importe quel esseulé de la terre. Mais, avec quatre enfants attendant leur dîner ce n'était pas facile. C'était plus simple de sortir de temps en temps avec un vieil instituteur toujours jeune, plus simple d'essayer le chef de gare, de jouer au petit ménage avec Roland.

Sans doute aurais-je dû accepter de préparer l'avenir et de m'assurer contre les nuits solitaires en me fiançant définitivement avec l'un de ces messieurs. Après tout, il semble que c'est la démarche de la plupart des gens qui divorcent et que l'on retrouve mariés peu de temps après, avec absolument n'importe qui. On se demande pourquoi ils n'ont pas compris la leçon. Moi, je voulais bien faire des efforts, mais je voulais à tout prix éviter de retomber dans mes erreurs passées. Je savais précisément tout ce qui m'était insupportable chez un homme.

Le directeur d'école était lui aussi divorcé. Il avait, quelque part en Aveyron, une fille de quinze ans dont il parlait avec tendresse et nostalgie. Il parlait aussi de son ex-femme. Avec une haine farouche. A tout propos. Sans arrêt. C'était fatigant, mais je me disais : « Ça finira bien par passer... Il en sort... Moi-même, il m'arrive parfois de faire quelques allusions... » J'avais décidé d'être indulgente, et patiente dans notre intérêt à tous deux. On ne se défait pas si facilement d'années de vie commune.

Nous sortions un peu. Il aimait Louis de Funès, la Comédie française et le Boulevard. J'aimais Andy Warhol et l'intense grouillement du fameux regain américain.

— Mais non, disait-il, allons voir de Funès, c'est si drôle.

Et nous y allions.

Il aimait la mer et moi la montagne, nous finissions donc à La Baule. C'était comme dans la chanson de Brel : « Je voulais voir Honfleur et on a vu ta mère... » Je savais à présent ce qu'il reprochait vraiment à sa femme... Il valait mieux tirer un trait, je le tirai.

— Avec moi, disait l'inspecteur S.N.C.F., vous ne vous ennuierez pas, vous n'aurez pas la vie duraille... Il riait... Le calembour, j'aime assez, mais le calembour à forte dose, ça vous brise les meilleures volontés. On ne peut pourtant décemment pas juger un homme sur ses seuls calembours. Tant que nous nous en sommes tenus à des mondanités, tout allait à peu près bien, tout est resté possible. Même les histoires grivoises vieilles de vingt ans qu'il s'obstinait à me raconter dès l'apparition du fromage me trouvaient souriante. Et puis, nous avons fait un peu plus intimement connaissance. Il m'a invitée chez lui. Je n'étais déjà pas très attirée par le personnage... Je ne prévoyais pas des nuits inoubliables. Je crois qu'en outre, il avait un peu peur de moi. Tout a commencé dans la voiture. Il pleuvait, et il a sorti de je ne sais où un petit paillasson spécial pour-les-pieds qu'il a installé sous mes semelles afin que je ne mouille pas le sol du précieux véhicule. Première surprise, pour moi qui transporte parfois dans ma voiture d'inénarrables ordures.

Arrivés chez lui il m'a gentiment demandé de circuler dans l'appartement en utilisant les patins. Ce que j'ai fait. J'attendais la suite avec curiosité. Je l'ai aidé à préparer le dîner dans une cuisine immaculée dont le sol était ciré. Par lui. Avec un produit dont il m'a recommandé les vertus. Je me suis crue un instant dans un mauvais film publicitaire. A table, il m'a parlé de sa chère maman à laquelle il portait son linge à laver toutes les semaines, et qui se faisait vieille la pauvre, bien qu'elle continuât à lui faire chaque année des confitures et des conserves de haricots verts.

J'ai bêtement prétexté une migraine. Après tout, on peut bien se servir de temps à autre des avantages que nous accorde une situation qui n'a par ailleurs que trop d'inconvénients. Il m'a gentiment reconduite à la maison. Je le confesse ici, je n'ai jamais finalement essayé la S.N.C.F. Trop duraille...

Comme de bien entendu Marianne n'a pas attendu le dessert ! A peine ai-je sonné, à peine a-t-elle refermé la porte derrière moi que l'amicale inquisition commence :

— Ce n'est pas sérieux ton histoire, annonce-t-elle en me tendant la botte de radis. Tu veux bien nettoyer ça ?

— D'accord, passe-moi un tablier, ou un torchon, quelque chose...

— A quoi penses-tu de laisser tomber Roland... Il est parfait pour toi...

— C'est vrai, pratiquement parfait...

— Reconnais que tout le monde a ses petits défauts...

— Certes.

— Toi-même, il arrive que tu ne sois pas très facile à supporter.

— Je le sais bien.

— Mais alors, pourquoi cette décision ? Que s'est-il passé ?

Marianne, je l'adore. Mais il reste deux ou trois choses que je ne pourrai jamais lui dire, bien que nous ayons plus de vingt ans de bonne amitié à notre actif. Je ne me sens pas capable de lui annoncer brutalement « Roland, je ne l'aime pas... » parce qu'il est entendu une fois pour toutes, qu'elle et moi, sommes des femmes adultes et équilibrées et que l'amour nous ayant dans le passé joué quelques tours, il n'est plus question de le considérer comme un critère acceptable, moins encore comme l'unique critère. Ce qu'il faut, c'est être raisonnable et simplement organiser pour le mieux la deuxième partie de sa vie. Alors je sors un argument qui, pour être dans le vent, n'en est pas moins sincère :

— Roland exige que j'arrête de travailler.

— Et alors? Il peut t'entretenir, il est à l'aise, non?

— Mais tu ne te rends pas compte. Être entretenue c'est justement ce qui m'a été le plus pénible pendant toutes mes années de mariage. Quémander pour la moindre chose c'est atroce... Lorsque le bœuf augmentait, on aurait dit que c'était ma faute si nous dépensions davantage... Vers la fin, je ne pouvais même plus remplacer un collant filé sans me sentir terriblement coupable...

— Oui, mais tu ne vas pas comparer... Roland est loin d'être radin.

— Bien sûr mais demander de l'argent à un homme fût-il le plus généreux du monde, pour moi c'est intolérable.

— Tu exagères... Georges et moi...

— Et puis, il y a ce détail absurde, ma retraite...

— Eh bien quoi ta retraite?

— Je n'ai que peu ou pas travaillé pendant mes années de mariage. Je n'avais jamais pensé à la retraite. D'abord j'étais jeune, ensuite il paraissait évident que celle de mon mari nous suffirait largement. Je n'y pensais jamais. Lorsque j'ai divorcé, j'ai été prise de panique. J'ai soudain rencontré des femmes de tous âges qui avaient été mariées. Des femmes sans profession, avec de maigres revenus, des pensions alimentaires qui s'arrêtaient si le conjoint divorcé venait à mourir. Des femmes vindicatives qui tenaient le coup en espérant, puisque la loi le permet, qu'elles obtiendraient en temps utile la moitié de la retraite de leur ex-mari, ne serait-ce que pour embêter la deuxième épouse. Des femmes courageuses qui s'étaient mises à travailler tout en sachant que, sans formation professionnelle, et avec le peu d'années de service qu'elles compteraient à l'heure de la retraite, l'avenir ne serait pas rose. Non, très peu pour moi. J'ai déjà exagérément souffert de dépendre d'un homme. Mais envisager, à mon âge, de dépendre un jour de mes enfants, c'est impensable. Je dirais même plus : c'est immoral.

— Ne sois pas ridicule. Si tu épouses Roland, tu auras la retraite de Roland. Tes enfants ne sont pas en cause...

— Marianne, je t'en prie... Si j'épouse Roland cette année, dans vingt ans, j'aurai encore l'âge de travailler... La vie, c'est long, même si ça passe vite... Dieu seul sait ce qui peut arriver en vingt ans. Je ne suis pas une maniaque du divorce mais je ne suis pas non plus une maniaque du mariage. Je veux continuer à travailler, c'est ma liberté à moi.

— Si tu le prends comme ça...

— Il y a autre chose... Huit heures par jour, et pendant tous les jours ouvrables de l'année, j'aime ce que je fais. Je ne suis pas sûre d'avoir autant de satisfactions entre les quatre murs confortables de Roland...

— Bon. Je n'insiste plus. Reprends un peu de blanquette...

Elle me regarde à présent avec affection. Soudain, dans son œil, je détecte comme une lueur. Incorrigible Marianne. La prochaine fois que je viendrai dîner, elle m'encombrera, c'est certain, d'un autre candidat.

***

Roland ne renonce pas. Il y a près de six mois que j'ai jeté l'éponge. Il n'a pas compris. Gentiment, il insiste. Il écrit, il téléphone, il proteste, il m'envoie des fleurs pour mon anniversaire, il fait savoir qu'il est désemparé. Qu'il fasse quelque chose d'inhabituel, qu'il sorte un peu de ce rôle d'homme rangé et prévisible et je remets tout en question. Mais s'agit-il vraiment d'un rôle? Je soupçonne que ce qu'il m'offre ainsi le plus honnêtement du monde n'est que le reflet exact de sa personnalité...

Il y a six mois que je vis seule. Sans homme. Sans enfants. Avec pour seuls compagnons le chat et la télévision. Les soirées sont longues, les nuits plus encore... Je ressasse les raisons vraies ou fausses qui m'ont fait écarter Roland. La voix de Marianne me revient en mémoire et ses exhortations du fond de ma solitude rendent un tout autre son. Cet hiver, j'ai beaucoup grossi. Je me suis sentie très seule, presque vieille, mal-aimée, coincée au fond d'un cul-de-sac. Je me suis offert une véritable crise d'auto-indulgence. J'ai trop mangé. Mon médecin, ce pompeux imbécile, n'a rien arrangé en me déclarant :

— Si vous continuez à grossir, vous allez complètement annihiler votre instinct sexuel...

Le fou, l'idiot, qui prend le symptôme pour la maladie et l'effet pour la cause... Il est médecin et il n'a rien compris. Annihiler mon instinct sexuel ce serait presque une solution. La solution finale en quelque sorte, le suicide, le vrai. Je sais depuis bien longtemps pourquoi je mange trop, tout comme les alcooliques ou les drogués connaissent toujours les causes profondes de leurs excès.

Quoi de plus indiqué, dites-moi, qu'un bon morceau de brie pour mieux se préparer à entrer dans la froideur désespérante des draps? Quoi de plus satisfaisant qu'une poignée de fruits secs pour occuper ces doigts et amuser ces dents qui ne connaissent désormais plus d'autres tentations? Quoi de plus tendre qu'un peu de chocolat qui vous fond au creux de la gorge? Quoi de plus apaisant qu'un grand verre de lait? La digestion, bien sûr, ça ne vaut pas l'orgasme mais il faut bien se repaître de ce que l'on a. Je mange de vivre entre un réfrigérateur trop plein et un lit trop vide. Je mange de n'avoir plus d'homme et de n'avoir pas encore appris à me résigner.

De temps en temps pourtant, je réagis. Je me mets au régime, je reprends la chasse. De temps en temps j'applique à la lettre les vieilles règles du jeu. Je me fais coiffer. Je déboutonne l'échancrure de mon chemisier. J'incline la tête et je les écoute parler, l'air émerveillé.

— Vous qui avez tellement voyagé, quel est donc le pays...

C'est triste mais ça marche toujours! Aucun commentaire n'est trop gros... Parfois je me dis : « Tu exagères, tu en remets trop, il va s'en apercevoir... » Jamais il ne bronche. Il pérore, satisfait de lui-même, et me raconte pendant des heures ses trois jours à Chicago où j'ai passé deux ans.

On peut ainsi dîner gratuitement et mettre dans son lit n'importe quel phallus un peu hâbleur. Juste pour l'hygiène. Sur sa lancée on peut parfois s'installer dans la vie du quidam, s'organiser une liaison tranquille et, avec un peu de chance, se faire épouser...

Naturellement si je n'avais pas contrôlé mon tempérament au cours de ces dernières lignes, j'aurais écrit : « On peut ainsi installer un quidam dans sa vie et l'épouser s'il s'avère acceptable... » Mais ceci aurait été en flagrante contradiction avec la technique de séduction employée plus haut. Quand on prend un homme au piège avec les armes traditionnelles, il ne faut pas s'étonner de ramasser un gibier à l'ancienne, affligé de toutes les tares bien connues et trop souvent décrites. Il faut donc tout réinventer et découvrir des moustachus d'avant-garde qui accepteront de défricher avec nous les terrains vierges ou presque des nouvelles relations humaines. Dans ma classe d'âge, ces oiseaux-là sont plutôt rares. Alors je rumine. Soudain, douloureusement, me traverse un souvenir fugitif : celui d'Alexandre. Je reprends du saucisson.

— Alors, à six heures chez moi, demande Roland?

— Si tu y tiens. Je serai peut-être un peu en retard... Disons six heures et demie. De toute façon je passerai dans la soirée.

— Tant mieux. Alors à tout à l'heure... Je t'embrasse.

— Je t'embrasse aussi. A tout à l'heure.

J'étais pourtant bien décidée à ne plus le

revoir. J'ai cédé à sa constance, à sa patience, vaincue sans doute surtout par ma propre solitude.

Je suis en retard. Il est près de huit heures. Je monte et dès que Roland a ouvert la porte, je sais que j'ai eu tort de venir. L'appartement est triste, gris, sans intérêt. Roland est en pantoufles, j'en conclus que nous ne sortons pas.

— On va dîner, dit Roland, mais je ne sais pas si j'ai assez à manger.

Il me tend une casserole dans laquelle quelques pommes de terre cuites et refroidies marinent dans une sorte de ragoût de viande...

— Qu'est-ce que c'est que ça?

— C'est ce que me prépare ma femme de ménage, ça m'évite d'avoir à faire la cuisine... Elle me laisse un peu à dîner tous les soirs, je n'ai plus qu'à faire réchauffer...

Je ne crois pas qu'il recherche ma pitié. Il l'a cependant. Un grand boy-scout de quarante-six ans incapable de se faire cuire un plat de frites et deux œufs alors qu'il trouve gloire à ses exploits sportifs, ça me paraît toujours inconcevable... Nous passons à table. Il se plaint. Rien ne va. Cette femme de ménage ne lui repasse pas bien ses chemises. Elle plisse les cols... Dois-je m'attendrir? Encore une fois, je sens qu'il est sincère... Il ne sait pas repasser, il ne lui vient pas à l'idée d'apprendre... Je lui repasse trois chemises, vite fait bien fait ! Je lui lave quelques chaussettes désassorties, histoire de n'avoir pas volé mon dîner... Pendant que je m'affaire, il tente de me prouver qu'il ne peut pas vivre sans moi.

— Je n'ai plus envie de chasser, m'avoue-t-il... Je vieillis.

Moi non plus je n'en ai plus envie. La sécurité conjugale m'apparaît depuis quelque temps comme un bien grand atout. Cependant, à mon corps défendant, je ne peux m'empêcher d'éprouver un peu de méfiance à l'égard du mariage... Vingt ans de bonne volonté et d'efforts ne plaident pas en faveur de l'institution.

— Qui va s'occuper de mon linge si tu refuses, ajoute-t-il curieusement... ?

Naturellement, je ne m'attendais pas à ce qu'il me submerge en avouant : « Tu es la plus belle, je t'aime... » mais tout de même, une telle obsession de la blanchisserie me laisse perplexe... Encore une fois pourtant je sais qu'il est sincère. Il est authentiquement malheureux de mon refus. Il ne comprend pas ma position, peut-être simplement parce que son attitude me culpabilise et me rend incapable de la lui expliquer vraiment. Elle est pourtant claire, ma position :

Je ne parviens pas à croire que l'état de mariage exige de moi que j'abandonne un travail qui me plaît pour me consacrer entièrement et sans gain apparent à l'intendance d'un homme en pleine possession de ses moyens dont le souci majeur est de rester aussi jeune que possible le plus longtemps possible. Puisque je pose mes étagères et que je bricole ma voiture, pourquoi ne peut-il pas se faire à dîner? D'ailleurs je n'ai jamais refusé de m'occuper des soins du ménage en dehors des heures de bureau. Je ne veux pas cesser de travailler, un point c'est tout.

Il semble que ce soit insuffisant.

— Tu ne m'aimes pas, dit Roland, tu te conduis en parfaite égoïste...

— Qui, moi?

— Naturellement. Tu ne peux pas nier que tu penses davantage à ta carrière qu'à ma situation ou à mes conditions de vie...

— Tu ne parles pas sérieusement...

— Bien sûr que si. N'importe quelle femme dévouée, c'est-à-dire normale, serait heureuse et flattée de ma proposition... Toi, tu ne penses qu'à toi, pas à moi.

Et il débite tout cela sans arrière-pensée, se sentant dans son bon droit. Il lui semble que je ne suis qu'une exception, un monstre d'égoïsme qui refuse d'organiser sa vie en faveur de l'homme de son choix. Je crois qu'il y a encore quelques années, j'aurais cédé, victime de l'excellente éducation que j'ai reçue.

Heureusement, Roland, mon cher ami, tu viens de perdre.

*
* *

Tous les hommes que je connais ont, tôt ou tard, besoin qu'on lave leurs chaussettes ou qu'on leur recouse un bouton. Seuls ces grands vertébrés supérieurs semblent incapables d'enfiler une aiguille, de se faire cuire un œuf ou de se souvenir de « Blancha » qui, comme chacun sait, lave tout sans qu'on le lui demande. C'est très surprenant pour une femme cette forme idiote d'impuissance. Alexandre faisait exception. Il semblait n'avoir jamais besoin de personne, du moins pour ces petites corvées. C'était étonnant, reposant, inespéré. Le mariage dont je venais de me libérer me laissait avec l'inacceptable sentiment que je n'étais bonne à rien sinon à assurer le confort matériel d'une famille, et encore, pas parfaitement. Alexandre portait lui-même son linge à la laverie, se mitonnait des petits plats ou dînait au restaurant. En aucune circonstance il ne parlait de ses boutons. Ces choses-là pour lui faisaient partie de la vie privée normale de chacun, au même titre que prendre une douche, aller chez le dentiste ou payer ses impôts. Il les faisait discrètement, l'une après l'autre, lorsqu'elles devaient être faites. C'était pour moi une attitude nouvelle et intéressante si bien que je ne me méfiais pas. J'observais, tout simplement.

Alexandre avait été parachuté dans notre bureau à la suite d'une demande de son père qui faisait partie de la direction générale de notre maison mère, aux États-Unis.

Il parlait mal le français et portait déjà des cheveux longs et touffus alors que nos figaros nationaux prônaient encore la brosse virile... C'était un fils à papa qui avait tout lu, beaucoup vu et pas mal fait, ce qui ne l'empêchait pas d'avoir une grande compétence professionnelle. Il était l'un des prototypes de cette nouvelle génération américaine qui, ayant bénéficié de la fameuse éducation permissive, s'en était bien tiré. Il en avait acquis une maturité précoce assortie d'un farouche appétit de vivre. Il posait sans arrêt des questions. Précises. Pertinentes. Questions dont la formulation même suffisait parfois à nous révéler la réponse. Je servais le plus souvent d'interprète car la seule chose qui rendait son insertion difficile au sein de notre équipe, c'est la lenteur qu'il mettait à construire en français ses phrases, qu'il voulait parfaites.

Un jour, il me demanda de l'aider un peu. Je n'avais aucune raison de refuser. Nous déjeunions le plus souvent en groupe dans un restaurant proche, assez bruyant. Nous prîmes l'habitude de nous isoler à deux, au fond de la salle, avec notre café, et de répéter les phrases types, les gallicismes ou les conjugaisons qui lui paraissaient les plus barbares. Nous y consacrions la demi-heure de battement dont nous disposions avant de reprendre le travail. Un peu plus tard, sous le prétexte de rechercher un peu de calme, il nous parut utile de changer de restaurant. Plus tard encore, nous trouvâmes plus simple d'aller dans son studio tout proche. Alexandre voulait tout savoir sur la France, sur les Français, sur le général de Gaulle, sur la dernière guerre mondiale, sur la Seine, sur la tour Eiffel et sur moi. Je lui disais ce que je savais, ce que je croyais être vrai. J'avais à son service autant de questions sur les États-Unis et sur les modifications profondes qui semblaient s'y produire. Nous ne nous lassions jamais de ces longues conversations. Il faisait de réels progrès. Nous nous en moquions un peu. La fameuse relation enseignant/enseigné s'était entre-temps quelque peu modifiée.

Je ne sais pas trop comment je me suis laissé prendre, sinon sans doute que j'en avais envie. Ma maison était, à cette époque-là, toujours pleine des amis de mes enfants, des jeunes gens qui lui ressemblaient, à peine plus jeunes, et avec lesquels j'avais les meilleurs rapports. Je savais bien que tous ceux-là qui venaient chez moi et qui auraient pu être mes fils m'aimaient un peu à leur manière, et que quelques Œdipes attardés cristallisaient parfois par mon intermédiaire. Je savais bien qu'il se dégageait souvent de tout cela une sexualité diffuse, un peu ambiguë, et qu'il suffirait sans doute de tendre la main ou de laisser le temps s'écouler pour que, dans un sens ou dans l'autre, tout rentre dans l'ordre.

Avec Alexandre, c'était différent. Nous avions seize ans d'écart mais je n'avais jamais l'insupportable sentiment d'être la mère. Je me sentais par contre enfin considérée comme une partenaire à part entière au sens d'une relation que les analystes qualifieraient de particulièrement gratifiante. Ce n'est guère qu'en rentrant au bureau que les choses se gâtaient :

— Alors, me disaient les collègues attentifs, vous êtes contente des progrès du petit ?

Ça m'irritait bien un peu, mais je me sentais de taille à supporter leurs plaisanteries.

Nous nous aimions je crois, bien qu'il ne nous ait jamais paru nécessaire de nous le préciser vraiment. Pendant longtemps ce fut suffisant. Et puis un jour, Alexandre a dit : « *When you're ready, I'm ready* » Quand tu voudras, je suis prêt... Si on se mariait ?

Ce genre de proposition me panique toujours totalement. Je vois inévitablement des piles de vaisselle, les chaussettes en question, l'aspirateur, les impôts, les mégots, la vie bourgeoise... J'oublie tout le reste pour ne plus me souvenir que du décor hyper-réaliste de la vie conjugale. Avec Alexandre pourtant, l'image déjà était brouillée, adoucie, différente, ensoleillée et un peu trouble comme les photos de Sarah Moon. Avec Alexandre tout redevenait possible. Je savais que ça pouvait marcher. La preuve? Pas une fois en ces instants je ne me suis souvenue de mon travail ou de ma future retraite... Mais je suis incurablement honnête et, bien que cela m'ait été une torture, j'ai offert quelques commentaires :

— Tu n'y penses pas... Quand tu auras quarante ans, j'en aurai cinquante-six!

— Et alors?

— Quand tu en auras soixante, j'en aurai soixante-seize...

— Je n'y vois pas grande différence... Plus on vieillit, moins ça se voit. Le temps travaille pour nous. Et d'ailleurs, on s'en fout non?

— Bien sûr, mais es-tu certain que tu t'en moqueras encore dans dix ans? Tiens, dans dix ans, j'aurai cinquante ans et toi trente-quatre. Au fond c'est dans dix ans que ce ne sera plus viable.

— Tu dis des bêtises...

— Et les enfants, tu y as pensé? Tu sais bien que...

— Les enfants, je m'en fous, si nous en voulons nous en adopterons... Il y a assez de mal-aimés de par le monde...

Il était sincère. Je n'insistai pas. Ces images de mon avenir me tourmentaient. Je voyais trop d'hommes et de femmes qui pour rester jeunes à tout prix dépensaient des trésors d'énergie et oubliaient tout simplement de profiter de leur maturité. Je voyais trop de ces vieux-toujours-jeunes qui se voulaient à l'avant-garde avec les vêtements et les manies d'aujourd'hui, trahis par leur vocabulaire d'avant-hier. J'aurais très bien pu vivre comme ça, dix ou vingt ans auprès d'Alexandre, sans me poser une seule fois la question de mon âge. Pour une raison obscure, la perspective du mariage m'obligeait à la repenser. Les hommes n'aiment guère la « dynamique du provisoire » chère au père Schutz, et cette demande en mariage qui tranquillisait Alexandre, en ce qui me concerne faussait tout.

Nous eûmes peu après l'occasion de passer un week-end ensemble, ce qui nous arrivait rarement. C'étaient là des heures précieuses. Faire l'amour avec l'homme qu'on aime, le caresser, le respirer, l'absorber, l'apprendre, et tout recommencer pendant qu'il vous traite de même c'est naturellement une expérience indescriptible et pourtant mille fois décrite. Ce qui est au moins aussi important, c'est de dormir avec l'homme en question. Il semble n'y avoir plus que quelques poètes pour s'en souvenir encore.

J'aimais dormir près d'Alexandre. Il se tisse au long des nuits des liens de profonde tendresse qui manqueront toujours à ceux qui se contentent de faire l'amour sans jamais dormir côte à côte.

J'aimais sentir sa jambe ou son épaule lorsqu'il se retournait. J'aimais l'entendre respirer, le savoir là, près de moi. Le matin, sa barbe me surprenait toujours. J'oubliais d'une fois à l'autre que les hommes étaient dotés de ce curieux phénomène... J'aurais pourtant dû m'en souvenir « Du côté de la barbe est la toute-puissance... » Mais ça aussi je l'oubliais... L'amour quoi, presque la trahison! Le matin, sitôt éveillés, nous refaisions inlassablement connaissance avec le même émerveillement.

Le dernier matin du dernier week-end, je me suis réveillée la première. Cette idée absurde de mariage me préoccupait et me touchait véritablement. Alexandre dormait encore. Il me tournait le dos. Je voyais les muscles fins de ses épaules se dessiner sous la peau. Je scrutais chaque détail de sa colonne vertébrale que sa minceur révélait. Le dos d'un homme est très stimulant pour la plupart des femmes. Je suis toujours étonnée qu'ils ne le sachent pas. J'allais m'appuyer un peu, descendre du doigt le long de ses vertèbres, caresser ce torse long, y frotter ma joue et mes cheveux. J'allais en tout cas réveiller le dormeur. Soudain, je ne sais trop pourquoi, je pensai à mon ventre abîmé de trop de grossesses rapprochées et qui ne s'améliorerait pas avec le temps. Je recensai tous les défauts réels ou supposés que je me trouvais, tant au physique qu'au moral et je tentai de les projeter dans un avenir indistinct... Non. Il était trop jeune je ne pouvais pas lui faire ça. J'étais déchirée, mais fermement décidée. Cette fois-ci, ce n'était pas le mariage qui me rebutait, c'était l'opinion que je risquais d'avoir de moi-même dans très peu de temps. C'était aussi le risque qu'Alexandre ne vienne à la partager un jour.

J'ai finalement réveillé doucement Alexandre. Je lui ai fait part de ma décision. Peu importe la suite...

Ce n'est que plus tard, en ressassant ces choses au creux gris de ma solitude retrouvée que j'ai procédé aux comparaisons qui s'imposent. Tout homme de mon âge placé dans les mêmes conditions aurait épousé. Peu importent ses manies, son dentier, sa brioche naissante... Il se serait d'ailleurs figuré qu'il apportait dans la corbeille son précieux nom, son expérience, sa protection. N'importe quel homme de mon âge aurait prit le risque, les yeux fermés peut-être mais peut-être aussi en toute connaissance de cause... D'ailleurs les filles de l'âge d'Alexandre l'y auraient encouragé sachant bien finalement ce que valent dans notre société ce nom, cette expérience, cette protection...

Je n'avais rien de tel à offrir à Alexandre, seulement moi-même avec mon âge et mes réalités. J'ai renoncé. Je m'étais jusque-là sentie déchirée, mais j'avais au moins le sentiment du devoir accompli. Une fois l'inévitable comparaison faite j'ai tout d'un coup compris qu'en fait, j'avais tout simplement bronché sur l'obstacle, refusé le risque, c'est-à-dire la vie. Certes, aujourd'hui je me sens toujours honnête, déchirée encore assez profondément mais, autant l'avouer, plutôt lâche.

***

Dans le parking je rencontre Cookie. Nous sommes du même âge et avons, l'une et l'autre, élevé seules nos enfants au cours des dernières années, les années difficiles de leur adolescence. A un détail près cependant : elle est veuve, je suis divorcée, ce qui signifie que sa situation matérielle a été bien plus précaire que la mienne et qu'elle s'est battue dix fois plus fort que moi. Elle est gaie, Cookie, elle est surprenante, solide, sans histoire. Nous sympathisons franchement.

Ce matin, dans le parking un ange passe. Un ange, ou plutôt deux. La nouvelle petite secrétaire des Méthodes, une effacée aux cheveux longs, tient par la main un efflanqué de la Fabrication, qui la regarde avec intensité. Ils ont l'aspect de ces gens qui se découvrent et n'en finissent pas de s'émerveiller l'un de l'autre. Ils flottent quasiment à trente centimètres au-dessus de l'asphalte du parking et ne disent bonjour à personne.

— Eh bien, dit Cookie admirative, c'est un vrai coup de foudre! Le mois dernier ils ne se connaissaient même pas...

Elle les suit des yeux, debout à côté de moi...

— Vous vous rendez compte, me dit-elle en baissant le ton, avec une légère nuance d'envie dans la voix, vous vous rendez compte si ça nous arrivait...

— ?...

Je la dévisage, un peu surprise. Il y a quelques jours, il pleuvait fortement, je l'ai rencontrée en ville et l'ai raccompagnée chez elle, en voiture. Nous avons succombé à l'intimité qui se crée inévitablement dans un véhicule étroit et clos, isolé du reste du monde par la pluie. Nous nous sommes un peu attendries sur nous-mêmes et avons échangé des confidences déraisonnables. J'ai roulé plus lentement, prenant plaisir à la conversation, cherchant tranquillement mon chemin à travers l'éventail que dessinait l'essuie-glace sur le pare-brise. Puis je me suis garée et nous avons continué à parler plus d'une heure...

— Dans un an ou deux, plus d'enfants... Les hommes de nos âges épousent des filles jeunes... Les femmes de nos âges n'épousent pas encore des jeunes gens... Dans un an ou deux, la solitude totale et probablement définitive... dans un an ou deux... six ou sept cents jours... six ou sept cents nuits... autant dire demain... Plus de projets, la fin du combat, le froid, et trente ou trente-cinq ans de survie paisible...

Nous avons, toute honte bue, versé un peu dans l'auto-compassion pour écarter cette peur bien humaine qui nous tordait les tripes ce jour-là, cette peur d'un avenir sans trop de chaleur, meublé pour toute tendresse des visites d'enfants affectueux que la vie ne manquerait pas d'accaparer de plus en plus... Et puis, la pluie diminuant, l'habitude aidant, nous nous sommes reprises :

— ... Et d'ailleurs, vous ou moi franchement... un homme... qui voudrait manger à heures fixes, économiser sur les rideaux pour investir dans la voiture, regarder le sport à la télé, décider en priorité des dates des vacances, dormir lorsque nous souhaitons parler, parler lorsque nous voulons dormir... Vous ou moi, trouvons-nous les raisins trop verts ou aurions-nous vraiment le courage de recommencer?

— Non, avons-nous conclu en chœur, nous n'aurions pas ce courage... Et peut-être après tout était-ce une réponse honnête.

Si bien que je m'étonne qu'il y a un instant Cookie se soit attendrie. Si ça nous arrivait, a-t-elle dit... Je sais bien qu'elle se souvient des moments de communion, des échanges de tendresse, des heures de chaude affection et qu'elle a oublié les rideaux et la vaisselle... Je sais qu'elle veut dire « Si l'amour nous tombait dessus, insupportable, inespéré comme il vient de tomber sur ces deux gosses, il est vraisemblable que, quoi que nous en disions, nous reprendrions le collier, les torchons, l'O'Cedar, et que nous abandonnerions pour un nouveau bail à l'homme de notre vie la manipulation totale de la perceuse à percussion et de la caméra Super-8, ainsi d'ailleurs que la déclaration collective de nos impôts. » Je sais qu'elle éprouve un sentiment d'envie, de nostalgie ou peut-être simplement de fatigue. C'est si simple de renoncer à ses responsabilités en s'en déchargeant sur un homme. C'est si simple de ne plus s'intéresser que de loin à tous les grands problèmes, au nom de l'amour que l'on porte, que l'on croit porter ou que l'on dit porter à quelqu'un d'autre. C'est si simple de faire passer la soupe du dîner avant la famine en Afrique et la lessive avant le droit au travail. C'est si simple, si pratique, si facile de se consacrer avec l'amour pour excuse, au seul bien-être d'un compagnon... Cookie me surprend vraiment aujourd'hui...

Elle me regarde, l'œil vague... « Si ça nous arrivait » répète-t-elle. Puis, avec le soupir de détente de quelqu'un qui vient vraiment de l'échapper belle elle ajoute :

— Si ça nous arrivait, ma pauvre amie, quelle catastrophe!...

Le fou rire alors nous saisit, puissant, total, irrésistible...

Achevé d'imprimer le 17 mai 1977
sur presse CAMERON,
dans les ateliers de la S.E.P.C.
à Saint-Amand-Montrond (Cher)
pour le compte des éditions Grasset

— N° d'édit. 4642. — N° d'imp. 184-050. —
Dépôt légal : 2e trimestre 1977.
Imprimé en France

ISBN 2-246-00494-2

ISSN 0399-4007